Club
PASSION

Dans la même collection

KATHLEEN CREIGHTON

LE PRINCE ET LA PATRIOTE

PRESSES DE LA CITÉ
PARIS

Titre original :
THE PRINCE AND THE PATRIOT

Première édition publiée par Bantam Books, Inc., New
York, dans la collection Loveswept ®. Loveswept est une
marque déposée de Bantam Books, Inc.

Traduction française d'Alain Bourdrez

© 1988 by Kathleen Creighton Modrovich
© Presses de la Cité, 1989 pour la traduction française
ISBN : 2–258–02736–5

1

LE Pr Nicolas Francia sortit du grand amphi-
théâtre de l'université de Los Angeles où, comme
chaque mercredi après-midi, il venait de donner
son cours de civilisation slave. Pour la troisième
fois de la semaine, un groupe d'étudiants mani-
festait devant la porte de son bureau. Jusque-là, il
avait supporté les élucubrations de cette bande de
fanatiques qu'il jugeait inoffensifs. Cette fois, il
était bien décidé à mettre un terme à leurs stupides revendications. Trop, c'était trop!

– Professeur!

Une étudiante venait de se détacher du groupe.
Elle avait levé la main pour faire taire ses camarades. L'arabesque de son geste, pur et élégant
comme celui d'une danseuse, toucha une corde
sensible en Nicolas qui daigna même lui accorder
un regard.

– Vous avez trente secondes pour disparaître,
se reprit-il d'une voix aussi grave qu'autoritaire,
après quoi je préviens la police du campus.

Menaçant, il toisa l'étudiante qui l'avait interpellé mais elle ne parut pas impressionnée le moins du monde. Cette menace, au contraire, l'enhardit. Rejetant la tête en arrière, elle le défia du regard.

– Vous êtes professeur dans cette université. Pourriez-vous nous accorder dix minutes de votre temps ou est-ce vraiment trop demander?

Les yeux noirs de l'étudiante brûlaient comme un feu sous la cendre. Le Pr Francia, qui condamnait tous les extrémismes, ne fut pas dupe de leur éclat passionnel. Il plissa imperceptiblement les paupières pour mieux voir celle qui le défiait. Ce qui le frappa d'abord, ce fut de constater combien elle différait de la masse blonde et dégingandée des étudiants californiens où dominaient les yeux clairs et les peaux bronzées. La sienne, au contraire, était pâle comme un pétale de rose et d'une exquise fraîcheur. Ses cheveux noirs, coupés à la Louise Brooks, vivaces comme un paquet d'algues ondulantes, accompagnaient le moindre de ses gestes. La bouche, quoique décidée, était comme un fruit doux. De longs cils accentuaient la force vive du regard.

– Dix minutes, c'est entendu, concéda-t-il, mais pas une de plus. Vous, dans mon bureau. Les autres, disparaissez.

Personne ne bougea.

– C'est bon, dit l'étudiante à l'intention de ses camarades, on a obtenu une entrevue. Je crois qu'il vaut mieux qu'on se retrouve dehors.

Les autres acquiescèrent, chacun à sa façon.

Des sifflets fusèrent et quelques applaudissements retentirent mais la majorité ronchonnait.

— Et si je ne suis pas sortie d'ici un quart d'heure, envoyez la brigade des mœurs, acheva-t-elle avec un clin d'œil rieur.

Nicolas Francia eut envie de sourire. Une extrémiste dote du sens de l'humour, se dit-il, voilà qui n'était pas banal! Et lorsqu'elle se pencha pour ramasser un pull-over orange qui contrastait joliment avec un dos-nu kaki, Nicolas se demanda pour de bon si elle n'était pas danseuse.

— Et maintenant, professeur? s'enquit-elle bravement.

— Après vous, lui intima-t-il tout en indiquant son bureau d'un geste de la main.

Il la pria de s'asseoir mais demeura debout. Il s'adossa contre un meuble et se croisa les bras sur la poitrine. C'était une façon comme une autre de dominer la situation. Les manifestations d'étudiants risquaient toujours de dégénérer. Mieux valait se montrer prudent, autant dire implacable. Et le Pr Francia était un peu contrit de devoir jouer les pères Fouettard avec une aussi jolie étudiante...

— Professeur, je vous remercie d'avoir bien voulu...

— Veuillez vous présenter, mademoiselle.

— Je m'appelle Caris, Willa Caris. Permettez-moi, au nom de mes camarades et de tout...

— Willa? sourcilla le professeur. Un surnom, je suppose?

9

– Un diminutif de Wilhelmina, monsieur. Je disais donc que nous étions très sensibles à...

– Étrange prénom pour une Brasovienne.

– Comment savez-vous...?

– Nous ne sommes pas ici pour parler de vos antécédents, mademoiselle Caris.

– C'est vous qui les avez mentionnés, professeur. J'ajouterai que Francia n'a rien de très brasovien non plus.

« En voilà une qui ne se démonte pas! » songea Nicolas, amusé.

– Ma surprise est compréhensible, mademoiselle, et d'ordre strictement linguistique. Vous savez fort bien qu'il n'y a pas de W en brasovien moderne, pas plus d'ailleurs qu'en brasovien ancien. L'usage du V indo-européen lui-même n'a fait qu'une brève incursion dans notre alphabet, vers le quinzième siècle.

Willa Caris accusa le coup. Elle ne s'attendait pas du tout à ce genre de conversation. Déroutée, elle rejeta ses cheveux en arrière, comme pour gagner du temps. Nicolas sourit imperceptiblement. D'emblée, il avait cherché à la mettre mal à l'aise, à l'empêcher de réciter le petit discours qu'elle avait dû mettre au point pour l'occasion. C'était réussi.

– Professeur, les Pays-Bas furent la première nation occidentale à reconnaître la souveraineté de la Brasovie durant sa courte période d'indépendance, après la guerre. Un moment inoubliable...

Le visage du professeur s'assombrit sensible-ment. C'était pire qu'il ne l'aurait cru : il ne s'agis-sait pas d'une anarchiste à la petite semaine mais d'une royaliste en diable! Du même coup, il se sentit un peu moins sûr de lui, presque mal à l'aise.

— Ah..., rétorqua-t-il d'un ton neutre. Vous avez hérité du prénom de la reine des Pays-Bas, si je comprends bien?

— Oui, monsieur, répondit la jeune femme d'une voix vibrante d'émotion.

— Vous êtes pourtant loin d'avoir eu la possibi-lité de la voir de vos propres yeux, à ce qu'il semble.

Cette remarque blessante toucha la jeune femme en plein cœur. Ses yeux jetèrent des éclairs.

Une tête brûlée! songea le professeur, c'était une tête brûlée. Née quelques dizaines d'années plus tôt, Willa Caris aurait passé son temps dans les rues à jeter des cocktails Molotov sur les chars soviétiques au lieu d'organiser avec ses cama-rades de classe des manifestations qui passaient presque inaperçues. Il l'imagina armée jusqu'aux dents et frémit tant c'était vraisemblable. Loin de lui répugner, cette image fit germer en lui un sen-timent étrange, sans doute un mélange de respect et d'admiration.

— Mes grands-parents ont joué un rôle impor-tant dans la résistance, reprit-elle fièrement. Ils furent invités à la grande réception donnée en l'honneur de la reine Wilhelmina, lors de sa visite officielle en Brasovie. Ils avaient emmené ma mère qui n'était qu'une enfant mais qui s'est toujours souvenue du...

Willa Caris s'emballait; elle s'en rendit compte et stoppa net. Fasciné malgré lui, le Pr Francia la vit maîtriser ses émotions, discipliner ses traits et reprendre d'une voix calme qui ne trahissait plus rien de ses émotions probablement orageuses :

– Voudriez-vous vous asseoir, professeur? Je crois que je vais finir par attraper un torticolis si vous restez debout comme ça! Et pardonnez-moi, s'il vous plaît, je n'avais pas l'intention de vous importuner avec mes «antécédents».

Nicolas Francia s'assit sans sourciller, l'œil rivé à sa montre.

– Vous pouvez me parler de ce que bon vous semble, mademoiselle Caris. Permettez-moi cependant de vous rappeler que je ne vous ai accordé qu'une entrevue de dix minutes et qu'il ne vous en reste plus que cinq.

Il y eut un silence éloquent. La jeune femme venait de perdre confiance.

– Dois-je comprendre que vous n'avez rien à ajouter? reprit-il, implacable.

– Je n'aurais jamais assez de cinq minutes pour...

Le professeur eut un geste exaspéré.

– Mademoiselle, vous et vos... compatriotes avez cru bon de camper devant mon bureau toute la semaine. J'aimerais en connaître la raison, s'il vous plaît.

Un sourire s'ébaucha sur les lèvres de Willa, aussitôt effacé par une moue confuse.

— Je suis navrée, professeur, d'abuser de votre temps, mais je crois que je n'étais pas tout à fait prête pour cet entretien. Je pensais que vous seriez moins... enfin plus...

— Plus quoi? s'impatienta-t-il.

— ... plus coopératif.

Un étrange regard accompagnait ces paroles qui avouait qu'elle n'avait pas vraiment dit la vérité. Elle s'avança sur son siège et posa sagement les mains sur le bureau.

— J'avoue que je ne comprends pas votre attitude, professeur. Comment pouvez-vous vous désintéresser à ce point de votre pays?

Nicolas Francia s'enfonça dans son fauteuil de cuir.

— Je suis citoyen américain, mademoiselle Caris, et je suis né en France, pas en Brasovie.

La jeune femme s'enflamma:

— Mais vous êtes brasovien, professeur! Je me demande comment vous faites pour rester tranquillement installé dans votre bureau de luxe alors que l'âme et l'esprit de notre pays, le symbole de la souveraineté pour laquelle sont morts et se sont battus nos ancêtres, est sur le point de tomber aux mains de l'ennemi. Votre indifférence est tout simplement...

— Je suppose que vous faites allusion aux bijoux de la couronne, coupa Nicolas, à demi amusé par

13

le débit passionnel de l'étudiante qui rattrapait tant bien que mal le temps perdu.

Le sourire ironique de Nicolas déclencha un vrai petit cataclysme. Willa serra le poing et l'abattit sur le bureau du professeur le plus craint et le plus respecté de Californie.

– Oui, monsieur, s'indigna-t-elle, la sainte couronne de Brasovie – je dis bien sainte – qui fut portée par tous nos rois pendant un millénaire et que les États-Unis d'Amérique sont prêts à restituer à ce régime de... de tortionnaires. Ce qui est une façon comme une autre de reconnaître un gouvernement qui bafoue les droits de l'homme à l'intérieur de ses frontières, massacre ses citoyens par milliers et en contraint au moins autant à l'exil chaque année! Comment pouvez-vous vous désintéresser des vôtres à ce point, professeur Francia?

Nicolas appréciait cette colère d'un point de vue purement masculin car elle augmentait la beauté de son ardente interlocutrice. D'un autre côté, la passion avec laquelle elle défendait son point de vue réveillait quelque chose de lancinant en lui, tout un passé douloureux endormi dans son âme et qu'il ne voulait pas réveiller. Il répondit cependant d'une voix si peu concernée qu'elle porta un choc à la jeune femme!

– La couronne royale de Brasovie appartient au peuple brasovien. Rien ne me semble plus simple ni plus conforme à la volonté divine que cette restitution, mademoiselle Caris.

Le visage de l'étudiante exprima tour à tour la

14

révolte, la colère et l'indignation. Puis elle sembla se résigner :

– Vous n'avez pas le droit de parler ainsi, vous moins que personne au monde, dit-elle enfin d'une voix très calme et presque douce.

– Je crains de ne pas très bien comprendre, mademoiselle Caris.

La jeune femme adopta ensuite le ton d'une conversation ordinaire, comme si elle avait changé de sujet :

– On dit que les communistes n'auraient jamais pu prendre le pouvoir si la famille royale avait regagné la Brasovie après la guerre pour diriger le gouvernement constitutionnel.

– J'ai entendu parler de cette théorie, répondit Nicolas avec la plus grande neutralité.

– Le roi Alexi était un homme juste et bon. Lui seul aurait pu réunifier le pays. Un gouvernement stable et puissant aurait résisté à la poussée communiste qui nous a ruinés.

– Vous vous perdez en conjectures, mademoiselle Caris. La famille royale a disparu dans la tourmente de la Seconde Guerre mondiale. Il est probable que tous ses membres y ont perdu la vie.

– C'est possible, rétorqua Willa avec un sourire sarcastique, mais comment se fait-il que la couronne royale ait échoué aux mains des États-Unis, à la même époque ? N'est-ce pas une preuve irréfutable de ce que la famille royale s'est réfugiée en Amérique ? Comment expliquez-vous les faits, professeur ?

– Aucun historien ne se risquera jamais à les expliquer, mademoiselle Caris. C'est une de ces énigmes dont l'histoire a le secret. Ceci dit, les bijoux de la couronne étaient effectivement aux mains des États-Unis depuis plus de quarante ans et cette situation, je vous l'accorde, illégitime, n'avait que trop duré. Quant à la famille royale de Brasovie, si l'un de ses membres étaient encore en vie et souhaitait se faire connaître, le monde entier le saurait aussi bien que vous et moi. Veuillez maintenant me laisser seul. J'ai beaucoup à faire et je vous ai largement accordé les dix minutes que vous réclamiez. Croyez bien que je suis navré de ne pouvoir vous être utile.

Willa Caris ouvrit la bouche pour protester mais elle y renonça. Elle se leva et tourna les talons.

– Mademoiselle Caris, encore une chose...

Willa se retourna et lui dédia un regard chargé de reproches. Nicolas le reçut comme une accusation qui le mortifia. Il faisait vaciller la froide arrogance sous laquelle il avait appris à dissimuler ce qui lui allait droit au cœur. Pour se protéger, il poursuivit avec une voix presque cruelle qui l'étonna lui-même :

– Veuillez informer vos « camarades », si j'ose dire, que je ne tolérerai plus aucun écart, si léger soit-il, au règlement de cette université. Bon après-midi, mademoiselle Caris.

Une fois seul, Nicolas se rassit et contempla un long moment la porte qui s'était refermée sur

Willa. Il se vengea de l'insolente en houspillant sa secrétaire qui avait par malheur un peu de retard dans ses dossiers. Comme il n'avait toujours pas retrouvé son calme, il décrocha le téléphone et composa un numéro qu'il connaissait par cœur. Une voix suave lui répondit à l'autre bout du fil.

– Bonjour, chère Tanya. Dis-moi, tu es libre, ce soir?

Willa s'adossa un moment à la porte du bureau de Nicolas, désespérée par la tournure qu'avait pris leur entretien. Elle ne comprenait d'ailleurs pas très bien pourquoi les choses avaient si mal tourné. Certes, le Pr Francia passait pour l'homme le plus arrogant et le plus séduisant de l'immense université de Los Angeles mais il avait poussé ce jour-là l'arrogance jusqu'à la cruauté et le charme jusqu'aux limites du supportable.

Séduisant! Le mot était faible. Il n'était pas séduisant, il était magnifique, absolument magnifique! Cette arrogance légendaire, cette façon qu'il avait de vous toiser, comme avant un combat dont il était par principe certain de sortir vainqueur, le rendait absolument irrésistible.

Il était très grand, très brun, très fort. Ses yeux implacablement noirs regardaient droit. Sa moustache de militaire, dure, élégante et aussi noire que le reste, virilisait encore un visage aux traits durs mais délicieusement slaves.

Willa n'avait pas su résister à la puissante aura de son professeur. Elle avait perdu la tête et, du

17

même coup, oublié les arguments patiemment accumulés pour le convaincre d'apporter son aide à leur petite organisation. Épuisée, battue, malheureuse et surtout terriblement en colère contre elle-même, elle avait triste mine.

– Je n'ai pas besoin de te demander comment ça s'est passé, s'amusa Joe Lasky, venu voir ce qui se passait, car il y avait bien plus d'un quart d'heure que Willa avait pénétré dans le bureau du Pr Francia.

Joe était beau garçon. Il ressemblait au James Dean de *La Fureur de vivre* et les filles tournaient autour de lui. Pour une raison mystérieuse, Willa s'était toujours sentie sur ses gardes avec lui. A eux deux, ils dirigeaient une bande de têtes brûlées prêtes à tout pour mettre un peu de piment dans la vie trop bien organisée des campus américains. Joe s'occupait des filles et Willa des garçons. Cette méthode simple avait toujours porté ses fruits.

– Il... il pense que la couronne doit retourner là-bas, qu'elle appartient au peuple brasovien et qu'il est grand temps que les États-Unis la restituent. Voilà...

Joe tira sur sa cigarette et fit des ronds de fumée avec une moue de stratège.

– Je me demande s'il t'a dit la vérité. On a dû lui conseiller de se tenir sage. Il paraît que le gouverneur l'a dans le collimateur, en ce moment.

– Il avait l'air on ne peut plus sincère, Joe. Tu te trompes, je t'assure.

18

– Et toi tu es trop naïve et tu ne lis pas assez les journaux. Au cas où tu ne t'en serais pas aperçue, c'est un vrai play-boy, ce type-là...

– Je m'en suis aperçue, Joe. Je m'en suis aperçue...

– ... et il n'a jamais été recommandé aux professeurs de cette université de faire la une de la presse à scandale.

– Francia fait la une de la presse à scandale? s'étonna Willa avec un pincement au cœur. Et pourquoi?

– A cause de ses légions de petites amies; un vrai harem, tu vois le genre! Récemment, ça a mal tourné avec cette chanteuse de blues hyperconnue. Tu sais, la rousse qui se prend pour Sarah Vaughan et qui marche à la cocaïne. Mais le pire, ça a été la tentative de suicide d'une prof du campus qui a tout raconté en détail aux journaux.

Joe eut un mauvais sourire. Willa ne croyait qu'à moitié ce qu'il lui racontait. Elle avait la conviction que le Pr Francia était un homme intègre, au-dessus de toutes les bassesses et que les ragots de la presse à scandale étaient de pures calomnies.

– De toute façon, dit-elle, je ne vois pas en quoi ça le met en cause, qu'il y ait des filles assez bêtes pour se suicider à cause de leur amoureux!

– Le problème n'est pas là, Willa. Par contre, Francia est probablement prêt à tout pour éviter la publicité pendant un certain temps. Tout ça est très mauvais pour son image de marque comme pour celle de l'université. Imagine le scandale si on apprenait qu'il s'attaque maintenant à ses propres étudiantes.

— Joe! s'exclama Willa, affolée. On ne va quand même pas...

— Écoute, on va essayer ça ou bien il faudra mettre le plan A à exécution.

— C'est encore pire! se lamenta Willa. Quelle journée, je ne te raconte pas!

— Il s'agit seulement de le persuader qu'il a tout intérêt à coopérer avec nous. Une histoire entre toi et lui, en somme, nous servirait.

— Je te signale quand même qu'il m'a dit qu'il ne tolérerait plus le moindre écart au règlement.

— Ah!

Joe Lasky prit Willa par les épaules et l'entraîna vers la sortie.

— Autant que je sache, reprit-il avec un sourire de triomphe, le règlement n'a jamais interdit à quiconque de prendre le soleil sur le parking de l'université.

— Le parking? s'étonna Willa d'un air faussement innocent.

— Oui, Willa, le parking. C'est là que le Prince Charmant gare sa Ferrari.

Nicolas était fatigué et content de rentrer chez lui. La journée avait été difficile. Sans compter ce problème avec les étudiants brasoviens, mais sans doute avaient-ils compris, cette fois! Nicolas regrettait seulement d'avoir dû se montrer si brutal avec Willa Caris. L'image de l'étudiante était profondément ancrée en lui. Il pouvait aisément se la remémorer en détail. Des dizaines de personnes défilaient pourtant dans son bureau. A la fin de la journée, il avait souvent bien du mal à se rappeler qui était qui.

Willa avait donc touché quelque chose en lui. Par-delà l'image qu'elle cherchait à donner d'elle-même, Nicolas avait perçu en elle une vulnérabilité et une fraîcheur que les femmes qu'il fréquentait d'habitude avaient perdues depuis longtemps. En revanche, elle n'était pas du tout son type. Nicolas faisait partie de cette écrasante majorité d'hommes qui préfèrent les blondes.

N'y pensant plus, il rassembla ses affaires et prit le chemin du grand parking de l'université, aussi vaste qu'un terrain de base-ball. La perspective d'une soirée au coin du feu avec Tanya le remplissait d'aise. Il n'avait pas envie de dîner en ville, ni de voir du monde. Et puis Tanya faisait si bien les massages...

– Le voilà! s'exclama Joe Lasky.

Willa dévisagea son camarade avec inquiétude. Pour la première fois, elle s'aperçut qu'il prenait un réel plaisir à passer aux actes. Elle, au contraire, en était presque toujours malade. La jeune femme lui envia cette sorte de courage qu'elle n'avait pas, tout en se demandant si c'était vraiment une qualité. En temps de guerre, qui savait ce dont aurait été capable Joe?

– Rappelez-vous, vous autres, reprit le jeune homme. Que personne ne touche à cette voiture, ni à quoi que ce soit d'autre. Restez calme, quoi qu'il arrive. Il ne faut surtout pas entrer dans leur jeu, ni leur donner l'occasion d'appeler la police. Respectons la loi, c'est notre meilleure chance de réussite.

Willa frémit lorsqu'elle vit le Pr Francia s'approcher du petit groupe. Il n'avait pas l'air d'humeur aussi pacifique que Joe. Il avait l'air d'un homme qui va commettre un meurtre.

2

LES manifestants s'étaient assis en demi-cercle devant la voiture du professeur, Joe et Willa en tête.

– C'est un dieu, ce type! s'exclama Betty Karoly, une étudiante de première année qui ne mâchait pas ses mots.

Willa rectifia en pensée cette appréciation excessive. Nicolas Francia n'était pas un dieu. Il y avait des tas de beaux garçons à Los Angeles. Si on commençait à les voir comme des dieux, on allait finir par se croire au paradis avant l'heure. Certes, Nicolas était beau mais il possédait quelque chose en plus de la beauté, quelque chose de royal. Sa démarche, surtout, contrastait avec la façon de se tenir plutôt débraillée de ses contemporains. L'élégance naturelle de sa silhouette évoquait une époque où les hommes se battaient au sabre mais savaient aussi porter des jabots de soie.

Arrivé à la hauteur du petit groupe, il posa sa serviette sur le capot de sa Ferrari puis balaya l'assemblée d'un regard noir qu'il fixa pour finir sur Willa.

– J'avais chargé Mlle Caris d'un message pour vous tous, commença-t-il d'une voix affreusement calme, or il semblerait qu'elle ait omis de...

– Quel message, professeur? le coupa Willa avec une insolence dont elle n'avait pas conscience.

Tout le monde s'attendait à une répartie cinglante qui ne vint pas. Chacun comprit que le Pr Francia ne se laisserait jamais dominer par un sentiment aussi vil que la colère. Willa profita de cette qualité pour augmenter son avantage dans le combat qui s'engageait.

– Vous voulez sans doute parler de votre ultimatum quant au règlement de l'université, professeur?

– En effet, mademoiselle Caris.

– Nous n'avons pas l'intention d'enfreindre le règlement, intervint Joe Lasky d'une voix paresseuse. On ne fait que prendre le soleil entre amis, vous ne voyez pas?

– Devant ma voiture, comme par hasard? répondit Nicolas sans se départir de son calme.

– Ah..., c'est votre voiture? reprit Joe d'une voix faussement surprise puis exagérément admirative. Pas mal, votre petite Ferrari, professeur!

Nicolas expira profondément.

– C'est une Lancia, jeune homme, vous avez encore des choses à apprendre.

Willa admira sa maîtrise de lui-même. Elle se

doutait qu'il devait mourir d'envie de leur tordre le cou, à elle comme à Joe qui commençait à jouer avec le feu.

— Vous devez avoir eu une rude journée, professeur, reprit-il. Je suis sûr que vous avez donné rendez-vous à une de ces créatures de rêve avec qui vous faites la une de... certains journaux..., histoire de vous remonter le moral. Je me trompe?

— Comme on se comprend, entre hommes, Lasky! jeta Nicolas d'une voix sensiblement moins calme. Alors, venons-en au fait, voulez-vous?

— Tout ce qu'on vous demande, c'est de nous laisser une chance, rétorqua le jeune homme.

— J'ai reçu Mlle Caris, cet après-midi. Vous avez eu ce que vous demandiez. Veuillez à présent libérer le parking.

Willa se leva pour mieux protester mais elle le regretta aussitôt. Soutenir le regard de Nicolas au nom du groupe n'était déjà pas facile mais le défier personnellement tenait de la gageure. Un clin d'œil de Joe lui redonna cependant courage. Elle s'avança vers Nicolas et, jouant le tout pour le tout, elle le prit par le bras, presque avec tendresse.

Un reproche assombrit les traits mâles de celui qu'elle osait défier publiquement. L'expression implacable de Nicolas signifiait sans le moindre doute possible qu'elle était allée trop loin.

— Professeur, commença-t-elle sans lui laisser le temps d'extérioriser sa décision, vous m'avez reçue mais vous ne m'avez pas écoutée. Vous aviez décidé de l'issue de notre entretien avant même de m'avoir entendue. Je vous demande, au nom de tous mes camarades, de revenir sur cet a priori incompatible avec votre position au sein de notre université. Vous devez nous écouter avant de nous juger, c'est votre devoir.

— Si je comprends bien, mademoiselle Caris, vous ne me lâcherez pas d'une semelle avant de m'avoir rallié à votre cause, c'est bien ça?

— C'est bien ça, professeur.

— Dans ce cas, vous ne me laissez guère le choix des armes.

Sur ce, Nicolas se pencha en avant, planta son épaule gauche sous la cage thoracique de Willa et la souleva sans effort, à la manière des pompiers de tous les pays du monde. Willa poussa un soupir de surprise mais elle se débattit en vain. Il y eut une rumeur dans le groupe d'étudiants. Avant que personne ait pu réagir, Nicolas chargea son fardeau à bord de la Lancia qui démarra sans crier gare sous le regard effaré des manifestants. Une fois revenus de leur surprise, ils applaudirent et encouragèrent leur porte-parole avec des cris, des sifflets, des hourras. Joe Lasky hurlait plus fort que les autres, mais il s'était écarté comme eux.

— Vos amis ne sont pas vraiment du genre solidaire, triompha Nicolas. Dire que je ne pourrais même pas en amocher un ou deux!

— Ce n'est peut-être que partie remise, claironna

26

Willa. Et puis ils n'ont aucune raison de nous empêcher de partir. Nous avons obtenu exactement ce que nous voulions, et ce pour la deuxième fois consécutive, professeur. En une seule journée!

Nicolas ne répondit pas. Willa jugea cette attitude inquiétante. Malgré les signes d'encouragement de ses camarades, elle ne se sentait pas du tout maîtresse de la situation.

– Attachez votre ceinture, lui intima-t-il lorsqu'ils furent sur l'autoroute.

– Et peut-on savoir où l'on va? dit-elle du bout des lèvres.

– Vous avez sans doute une petite idée, non? Vous n'aviez donc pas tout prévu?

– Choisissez vous-même, professeur.

– Vous n'aviez pas tout prévu.

– Non. Permettez-moi de suggérer la Bibliothèque nationale, le buffet de la gare ou Central Park.

– Non, trouvez quelque chose de plus intime.

– De plus intime?

Inquiète, Willa interrogea le profil aristocratique de Nicolas qui se détachait sur le bleu lavande du ciel californien.

– A votre bureau? suggéra-t-elle.

– Au point où nous en sommes, nous n'allons pas faire marche arrière, mademoiselle Caris. A vrai dire, un endroit intime où l'on puisse dîner ferait tout à fait l'affaire, vu l'heure... et mon appétit. Mais comme je n'ai absolument pas l'intention de me montrer en public avec vous –

pardonnez-moi de ruiner les plans stupides de vos petits camarades – je me vois contraint de vous inviter chez moi. Essayez de vous faire à cette idée. Il vous reste une dizaine de kilomètres pour ça.

Willa frémit de la tête aux pieds. Elle ouvrit la bouche pour protester mais ne trouva rien d'intelligent à dire. Les plans de Joe Lasky étaient réellement stupides, songea-t-elle avec horreur. Comment pourrait-elle jamais séduire le Pr Francia alors qu'elle n'arrivait même pas à aligner deux mots en sa présence?

En désespoir de cause, elle regarda défiler les boulevards de Los Angeles sous le soleil couchant. La nuit tombait déjà lorsqu'ils atteignirent la route du bord de mer.

– Dites-moi, Caris, reprit Nicolas au bout d'un moment, comment en êtes-vous arrivée à passer vos jeudis après-midi avec une bande de têtes brûlées?

– Ce ne sont pas des têtes brûlées, ce sont mes amis, professeur.

– Des provocateurs, oui, et vous le savez aussi bien que moi. Si je me fie aux apparences, vous avez pourtant largement passé l'âge de jouer aux barricades.

– J'ai vingt-huit ans, si c'est ce que vous voulez savoir. Et si vous trouvez que ça fait «cancre près du radiateur», dites-vous que j'ai toujours dû travailler pour payer mes études. Je passe mon doctorat cette année, d'ailleurs.

– En quoi?

– En histoire byzantine.

– Évidemment, j'oubliais que vous avez appris le patriotisme sur les genoux de votre grand-mère turquo-romano-yougoslave!

– Ce que je me demande, c'est comment vous avez réussi à passer au travers, vous, répondit Willa du tac au tac.

Nicolas eut un moment d'inquiétude. Connaissait-elle la vérité? Il se reprit aussitôt car, pour bien des raisons, c'était absolument impossible.

– Et vos parents, Caris, comment réagissent-ils? Sont-ils ravis à l'idée que vous risquiez votre diplôme pour satisfaire leur chauvinisme de bas étage?

– Mes parents sont morts, répondit la jeune femme d'une voix sans timbre. Je suppose que vous les auriez pris pour des terroristes, professeur. Ils sont morts pour la liberté de leur pays, assassinés par ce gouvernement auquel les États-Unis sont sur le point de restituer la couronne royale de Brașovie.

– Je suis désolé, Caris.

Et le silence s'installa entre eux. Willa s'absorba dans la contemplation de l'océan Pacifique qui roulait, paisible depuis toujours, sous un ciel constellé d'étoiles.

Un quart d'heure plus tard, l'auto stoppa devant une villa d'inspiration scandinave qui donnait sur une immense plage.

– Nous y sommes, dit Nicolas. Venez, je meurs de faim.

En dépit de la gentillesse du professeur, Willa demeura clouée sur son siège sans desserrer les mâchoires.

– Écoutez, Caris, je ne suis pas Jack l'éventreur, je vous le jure et, contrairement à ce qu'on a dû vous dire par ailleurs, je ne suis pas non plus le play-boy de vos rêves.

« Il faut que je décommande Tanya », songeait-il au même instant.

Willa succomba au sourire charmeur de son hôte mais elle descendit malgré tout de voiture à contrecœur.

– D'après ce que j'ai lu dans les journaux, persifla-t-elle, vous n'êtes pas non plus un enfant de chœur, professeur.

Il se contenta de sourire puis l'escorta jusqu'à la villa. L'aménagement intérieur, à plusieurs niveaux, soutenus par des colonnes de granit blanc, étonna Willa. L'ambiance, en revanche, collait bien au personnage. Tout était confortable et même luxueux. Les meubles danois en teck épousaient les tons sable de la moquette et des fauteuils. Une sorte d'esplanade en bois brut prolongeait l'espace intérieur, au-dehors. Un escalier en colimaçon menait directement à la plage. mais il y avait aussi des taches de couleur vive surprenantes, des sculptures modernes, deux magnifiques aquarelles anglaises, une impressionnante bibliothèque qui couvrait un mur entier et, lové dans un fauteuil où l'on mourait d'envie de se blottir, un superbe chat angora noir. Il s'étira avec dignité puis vint accueillir le maître de maison. Nicolas s'amusa de la surprise de Willa.

– Je vous présente la Duchesse, sourit-il.

– La Duchesse? rétorqua Willa. Ça ne m'étonne pas qu'il y ait chez vous une chatte qui s'appelle la Duchesse, professeur.

– La Duchesse n'est pas à moi mais à ma mère, répondit-il un peu sèchement. Êtes-vous rassurée?

Puis, ouvrant le réfrigérateur qui répandit une brume lumineuse autour de lui, Nicolas sortit le menu quotidien de l'angora : du saumon, la seule chose qu'elle daignât avaler depuis qu'elle y avait goûté, quelques années plus tôt. Nicolas regarda ensuite ce qu'il y avait pour dîner.

– J'espère que vous êtes au régime, Caris, plaisanta-t-il en continuant à fouiller dans le freezer.

Willa s'était assise sur la moquette et elle l'observait de dos. Elle savait bien des choses sur le Pr Francia. Mystérieusement, tout ce qu'elle avait appris dans les dossiers, dans les journaux, dans les interviews et les livres correspondait mal à la réalité. Se sentant observé, Nicolas se retourna lentement, comme si rien ne pressait, comme s'ils avaient toute la soirée devant eux.

– Étant donné que vous avez passé une partie de la journée à vous vautrer sur un parking, je pense qu'il serait sage de vous laver les mains avant de dîner, Caris! La salle de bains est par là.

Willa murmura un merci. Lorsqu'elle eut disparu, Nicolas réalisa qu'il l'avait outrageusement suivie du regard, appréciant encore le tombé merveilleux des cheveux noirs et la démarche de danseuse de son invitée surprise. Oui, cette façon de marcher lui plaisait, lui plaisait même beaucoup, ce qui ne l'empêcha pas, une fois seul, de composer le numéro de téléphone de Tanya pour décommander leur rendez-vous nocturne.

« Les choses n'auraient pas dû se passer ainsi », songeait Willa en s'examinant dans le miroir de la salle de bains. Dire qu'elle n'avait même pas eu la curiosité d'assister à l'un des cours de Nicolas, ne serait-ce que pour se familiariser avec le personnage ! Elle y aurait au moins appris à se méfier de sa belle voix grave, profonde et douce, à s'habituer à cette silhouette musclée, puissante, mais qui fascinait aussi par son élégance naturelle et aristocratique. Maintenant, il était trop tard. Le charme terrible de Nicolas avait fait son office. Willa se sentait quasiment ridicule, en tout cas désarmée devant lui. La perspective du dîner ne lui disait rien qui vaille. Ce n'était sûrement pas en essayant de cacher son trouble par tous les moyens qu'elle arriverait à le convaincre d'user de son influence pour retarder le départ de la couronne.

La couronne ! Bien sûr, c'était pour ça qu'elle était là. Pour rien d'autre, même si Joe lui avait recommandé de commencer par séduire le beau professeur afin de le rallier à leurs projets. Pourtant, il avait peut-être raison, Joe! Leur première tentative de négociation ayant lamentablement échoué, il allait bien falloir ruser d'une façon ou d'une autre.

La couronne! La sainte couronne de Haute et de Basse-Brasovie! L'exaltante vision du bijou rutilant redonna courage à Willa. Il fallait à tout prix empêcher que la couronne fût restituée. Willa sentit son cœur se serrer. Ses parents et ses grands-parents avaient tant donné, tant perdu pour cette poignée de diamants symboliques! Il fallait absolument empêcher que ce trésor retourne en Brasovie où régnait une affreuse dictature! Oui, c'était là le plus beau cadeau qu'elle pourrait jamais faire aux deux êtres qu'elle aimait le plus au monde.

Rassérénée, Willa ouvrit le robinet d'au froide puis elle s'aspergea copieusement le visage avant de se laver les mains. L'exaltation lui avait coloré les pommettes mais elle n'y prit pas garde tant elle était absorbée par l'idée de la confrontation qui allait suivre.

Nicolas crut d'abord qu'elle s'était donné un coup de blush puis, réalisant qu'elle n'était pas du tout maquillée, il comprit à peu près ce qui s'était passé dans la salle de bains.

— Ah, vous voilà, Caris! Dites-moi, vous savez faire la cuisine?

— Pourquoi? répondit Willa d'un air suspicieux.

— Rassurez-vous, sourit-il, je voulais seulement

savoir si vous seriez capable de nous préparer une salade avec ça. Moi, je m'occupe du reste.

– Il brandit un cœur de laitue qu'il jeta ensuite sans le moindre égard dans l'évier.

– C'est bon, donnez-moi un couteau.

Nicolas s'exécuta sans lasser passer l'occasion d'étudier son invitée sous toutes les coutures. Il en avait bien conscience et un peu honte, sans avoir pour autant l'intention de renoncer à ce plaisir typiquement masculin.

– Vous n'êtes pas vraiment un cordon-bleu, si je comprends bien, la taquina-t-il en lui passant le poivre.

– J'ai surtout horreur de passer plus d'une demi-heure par jour dans la cuisine, confessa Willa. Remarquez, j'adore la cuisine brasovienne. Malheureusement, c'est le genre de plat qu'on met mille ans à préparer.

– Et au moins autant à digérer! s'amusa Nicolas.

Il se trouvait désespérément de bonne humeur. Cette Caris était pourtant un vrai danger public. Il ne fallait pas l'oublier, se morigéna-t-il.

Willa sourit pour la première fois de tout son cœur. Nicolas en fut troublé. La Duchesse détourna heureusement leur attention à tous les deux et Willa ne s'aperçut de rien. L'angora qui avait fini son saumon à la tomate voulait aller faire un tour sur la plage.

– Je la comprends, dit Willa, c'est très beau, dehors. On aurait pu manger sur la terrasse...

34

Sans crier gare, elle abandonna la laitue à son triste sort et prit la Duchesse dans ses bras. L'angora manifesta un dégoût profond pour cette marque d'amitié qui ne convenait guère à son rang. Willa le sentit et se rappela la réaction de Nicolas lorsqu'elle l'avait pris par le bras, sur le parking de l'université, devant ses camarades.

Nicolas éprouva l'étrange sensation de deux regards félins posés sur lui, aussi farouches l'un que l'autre. Prise au piège, la Duchesse se dégagea d'un coup de rein tout en souplesse. Willa se tourna vers l'Océan.

– Il fait un peu froid pour dîner dehors, dit seulement Nicolas tout en ouvrant la baie vitrée afin de laisser sortir la Duchesse.

Willa ne disait rien et songeait qu'elle aurait bien aimé fuir ses responsabilités et cette situation impossible avec la même désinvolture que l'angora.

– On peut aller faire un tour, si vous voulez, hasarda Nicolas.

– Oui, c'est une idée.

Ils sortirent sur l'immense loggia de bois. Le vent d'est fit bouffer les cheveux de Willa dont la silhouette se détachait en ombre chinoise sur le lapis-lazuli du ciel.

Nicolas fourra les mains dans ses poches, à titre préventif, car l'ambiance était si romantique et Willa si jolie qu'il avait envie de se laisser aller à quelque geste tendre, voire même moins innocent.

— La Duchesse est en vacances chez vous? demanda Willa.

— Non. Mon père a de l'emphysème depuis quelques années. Il ne supporte plus du tout les poils de chat.

— Je suis désolée, professeur.

— Je sais bien que vous êtes plutôt réactionnaire, dit-il gentiment, mais appelez-moi Nicolas, voulez-vous? Franchement, je préfère.

Le Pacifique reflétait l'immense diamant d'une demi-lune ascendante. Le spectacle était si majestueux, si magnifique, qu'ils éprouvèrent l'un et l'autre le besoin de s'y soustraire, de peur d'y succomber.

— C'est vrai qu'il fait un peu froid, enchaîna Willa sans faire aucune promesse.

— Oui, c'est une soirée à passer au coin du feu. Rentrons.

L'intimité du salon les accueillit un moment plus tard. Nicolas avait ouvert une bouteille de graves et tendu un verre à Willa.

— Et si on faisait vraiment un feu de bois? suggéra-t-elle d'une voix faussement innocente.

— Il serait peut-être temps d'en venir au fait, mademoiselle Caris, vous ne croyez pas? Vous avez sûrement bien des choses à me dire et il est déjà tard.

3

Le dîner fut délicieux. Dès le premier verre de vin, Willa comprit qu'il était inutile de résister au charme de Nicolas et qu'il valait mieux, au contraire, jouer la carte du naturel. Sans doute était-ce la meilleure façon de le séduire et d'exécuter du même coup les plans de Joe Lasky.

– Pendant la guerre, ma grand-mère a réussi à séduire un officier allemand de la pire espèce, commença-t-elle. Il avait eu le malheur de l'inviter à dîner.

– Pourquoi le malheur? sourit Nicolas que cette révélation n'étonnait guère.

– Parce que lorsqu'il ne s'est plus du tout méfié, elle lui a tiré une balle dans la tête, avant de finir son cognac.

Nicolas accusa le coup mais ne dit rien.

– Ensuite..., reprit Willa qui finit son verre de graves et le reposa sur la table d'un geste un peu emphatique, elle l'a déshabillé et s'est glissée dans son uniforme. Grâce à ce subterfuge, elle a réussi à sauver de la torture et de la mort trois résistants brasoviens. L'un d'eux était... mon grand-père.

– Une femme remarquable, admit Nicolas tout en resservant un verre de bordeaux à son invitée.

– Oui, et elle l'est toujours, reprit Willa. Vous savez ce qu'elle a fait pour gagner sa vie lorsque nous sommes arrivés aux États-Unis? Des brassières! Elle travaillait quatorze heures par jour dans une usine de blanchisserie. Et mon grand-père, c'est pareil. Après l'exil, il s'est présenté ici dans un atelier de tapisserie. Il ne parlait pas tellement bien l'anglais et n'avait qu'une idée très vague de l'art du tapissier, mais quand ils ont demandé s'il avait de l'expérience, il a répondu « bien sûr ». Ils l'ont engagé pour la semaine suivante. Il a passé toutes ses nuits à apprendre et, le jour de l'embauche, il était fin prêt. Mais le plus beau, c'est que cinq ans plus tard, il ouvrait son propre atelier de tapisserie. Il était passé maître en la matière.

– Un homme remarquable, acquiesça Nicolas.

– Mes grands-parents sont tout pour moi, renchérit Willa. Je n'ai qu'eux au monde. Je serais capable de n'importe quoi pour leur faire plaisir.

– Je vous comprends, Caris. Je comprends très bien.

A voir la petite flamme qui brillait au fond de ses yeux, Willa sut qu'il disait vrai. Si elle n'avait pas dîné avec le Pr Francia « pour affaires », elle se serait laissé aller au plaisir charmant de ce dîner en tête à tête. A dire le vrai, la compagnie de Nicolas lui plaisait. Elle se sentait réellement bien avec lui. Elle dut faire un effort pour n'y voir qu'un avantage qui lui permettrait peut-être de mener à bien sa mission.

– Parlez-moi un peu de votre famille, professeur, enchaîna-t-elle.

Il ne se braqua pas, contrairement à ce que Willa attendait.

– Si vous voulez. Qu'aimeriez-vous savoir? dit-il seulement.

Willa s'éclaircit la gorge. C'était le moment ou jamais de se montrer diplomate.

– Tout ce que je sais, pour l'instant, c'est que votre mère adore les chats angora et que votre père, lui, ne les supporte plus. J'ignore tout le reste, alors commençons par de petits détails. Tenez, vivent-ils à Los Angeles?

– Non, à Pasadena.

– C'est épatant ça. Ce n'est pas très loin d'ici. Vous pouvez aller les voir souvent.

– Je le pourrais, en effet. En fait, je leur rends rarement visite. J'ai beaucoup de travail, ici.

– Avez-vous des frères et sœurs?

Cet interrogatoire amusait Nicolas. Willa posait ses questions comme les enfants vous interrogent sur la marche du soleil ou la façon dont naissent les petites filles. Comment aurait-il pu deviner que l'apparent naturel de sa délicieuse invitée cachait les redoutables armes d'une femme prête à tout pour parvenir à ses fins? En vérité, il n'était encore pour elle qu'un pion sur l'échiquier de ses ambitieux projets.

– Non, je suis fils unique.

– Vraiment? sourit Willa; C'est drôle ça, moi aussi. Ça ne m'a jamais gênée, remarquez. Mes grands-parents sont des gens tellement hors du commun... Je ne me souviens pas de m'être ennuyée une seule fois avec eux. Et vous, avez-vous souffert de la solitude?

Alors, d'un geste apparemment très naturel, Willa posa la main sur celle de Nicolas. Il ne réagit pas.

– Je n'en sais rien, dit-il. Je crois que la vie était bien trop compliquée pour que j'aie le temps de m'ennuyer.

– Compliquée? Vous manquiez d'argent, peut-être?

– Oui, d'un certain point de vue, je dirais que nous étions très pauvres. D'un autre côté, nous n'avions rien à envier à personne.

Alors qu'il souriait, Willa perçut sur son visage le fantôme d'une enfance difficile, fière et démunie. Il y eut un long silence; non pas un de ces silences qui tombe comme un rideau de fer mais un silence qui les rapprochait mieux que les mots. Leurs regards se croisèrent. De l'or! Il y avait de l'or dans les yeux de Nicolas. Willa sentit quelque chose tressaillir en elle à quoi elle ne voulut pas prêter attention. La mission! Seule comptait la mission

« Maintenant! murmura en elle une petite voix que couvrait aussi l'émotion, c'est le moment – une occasion pareille ne se représentera plus – dis-le lui maintenant. Attaque! »

40

– Nicolas, s'entendit-elle dire d'une voix calme et sensuelle, savez-vous que vous ressemblez beaucoup au dernier roi de Brasovie, Alexi de Brasovie?

Willa s'attendait à une repartie cinglante ou à un silence surpris et plein de sous-entendus, voire à une expression de culpabilité au fond des beaux yeux noirs du Pr Francia. Rien de tel ne se produisit. Au contraire, il éclata de rire, d'un rire franc et cordial, aussi naturel que déroutant. Mais Willa Caris ignorait qu'il se jouait d'elle, lui aussi. Pour Nicolas, elle n'était qu'un pion de seconde importance dans un gigantesque jeu de massacre.

– Je suis étonnée que personne ne vous en ait jamais parlé, reprit Willa, ou que vous ne l'ayez pas remarqué vous-même. Après tout, en tant que professeur de civilisation slave, vous avez dû examiner bien des portraits du roi Alexi et de sa famille.

– Eh bien, à dire vrai, je dois avouer qu'une telle idée ne m'a même jamais traversé l'esprit, s'amusa-t-il tout en se caressant la moustache d'une main distraite. Croyez que je suis cependant très flatté du compliment, Caris, surtout venant de vous.

– Ce n'était pas un compliment, professeur, reprit Willa, qui ne s'avouait pas vaincue : tout au plus une constatation.

Nicolas la pénétra d'un regard profond. Willa crut discerner une hésitation dans ses yeux et elle lui tint tête. La jeune femme avait effectué bien des

41

recherches sur la famille royale avant d'atterrir dans le bureau du Pr Francia. Une telle ressemblance ne pouvait être due au hasard! Ce regard, cet aplomb, cette prestance inimitable, c'était le roi Alexi tout craché!

— A vous entendre, on croirait vraiment que je suis..., un proche d'Alexi! dit-il encore sur le ton de la plaisanterie.

— Pas un proche, contesta Willa avec un implacable sérieux, mais un descendant direct. Je suis sûre de ce que j'avance, professeur. Autant me dire tout de suite la vérité.

Nicolas lui jeta un regard compatissant et il lui retira son verre de graves d'un geste autoritaire.

— Vous avez trop bu, Caris, je le crains.

Willa fut mortifiée de cette accusation qui reléguait sa découverte au rang d'une pure chimère. Atteinte dans sa dignité, elle se leva tout d'une pièce, prête à relever l'affront qu'on lui faisait, à n'importe quel prix. D'un autre côté, elle ne s'était jamais sentie aussi stupide de sa vie. Elle fit volte-face pour dissimuler son trouble, marcha jusqu'à la cheminée et s'absorba dans la contemplation du feu. Nicolas la rejoignit un moment après.

— Je m'attendais à ce que vous niiez, continua-t-elle. Votre réaction ne m'étonne absolument pas. Tout semble cependant prouver que la famille royale s'est exilée aux États-Unis après la guerre, sans quoi les bijoux de la couronne ne seraient pas actuellement aux mains des Américains.

— Cette théorie relève de la fiction pure et

simple, mademoiselle Caris. Examinez les faits et vous comprendrez vite qu'il est impossible d'avoir la moindre certitude quant au roi Alexi. Et ne parlons de ces descendants!

— Ce qui est incontestable, professeur, c'est que vous ressemblez comme deux gouttes d'eau au roi Alexi. D'autre part, chacun sait que vous avez quitté la Brasovie après la guerre avec toute votre famille.

— Vous êtes mal informée. Je suis né en France, après la guerre.

Willa se retourna vers lui bouleversée par cette révélation.

— Nicolas! s'exclama-t-elle d'une voix convaincue. Je suis sûre que vous êtes proche du roi Alexi. J'en ai l'intime conviction. La ressemblance n'est pas seulement physique. Elle a quelque chose de... de surnaturel!

Nicolas la prit aux épaules.

— Je suis navré, Caris. Vous vous trompez.

Willa eut la certitude qu'il mentait pour échapper à sa redoutable destinée de prince héritier.

— Jurez-le, professeur, exigea-t-elle en le pénétrant d'un regard passionné. Sur votre honneur, sur nos ancêtres et le roi lui-même, jurez-moi que vous n'êtes pas le prince héritier Alexi de Brasovie ou le Grand-Duc en personne.

Il lui laissa le temps d'observer combien il était loin de trembler devant la vérité, puis, d'une voix calme et patiente, il répondit comme s'il parlait à une enfant gâtée :

— Je vous le jure, Caris. Je ne suis pas le Grand-

Duc de Brasovie, encore moins le prince héritier et je n'ai jamais eu affaire, de près ou de loin, avec cette noble famille. Êtes-vous satisfaite?

Willa le regarda longtemps puis elle s'avoua vaincue. Nicolas ne pouvait mentir. Tout en lui, à l'instant même, respirait la franchise. Et puis il avait juré sur l'honneur. Elle s'était donc trompée. En dépit de tout, la ressemblance pouvait n'être qu'une coïncidence.

Et soudain, Willa se réjouit qu'il ne fût pas le fils du roi Alexi ou le Grand-Duc. Elle aurait voulu en être mortifiée mais c'était impossible. Pourquoi? Parce qu'elle savait que Nicolas n'allait pas tarder à l'embrasser et qu'elle ne croyait pas aux contes de fées : pour un peu, elle aurait accepté de tomber dans les bras du Pr Francia mais jamais, au grand jamais, dans ceux du prince héritier de Haute et de Basse-Brasovie!

Nicolas savait lui aussi qu'il allait l'embrasser. Mais rien ne le pressait, au contraire. Ce premier moment d'intimité qui ne reviendrait jamais, il avait bien l'intention de le savourer à sa juste valeur. Il aimait les premiers baisers, les premiers rendez-vous, toutes les premières fois. Le feu dans la cheminée faisait crépiter le silence autour d'eux.

Nicolas aimait le clair visage qui le regardait sans comprendre. Sa main droite glissa sous la crinière noire de Willa. Ses doigts trouvèrent la nuque pâle aussi douce et satinée qu'ils l'avaient rêvée. Elle frémit sous son contact, davantage lorsqu'il se pencha vers elle.

– Désolé de vous décevoir, Caris. Je ne suis qu'un humble professeur d'université...

Willa sentit la voix de Nicolas hésiter entre le rire et les plus tendres aveux.

– Je ne suis pas déçue, sourit-elle. Plutôt confuse, en fait...

Il comprit ce qu'elle voulait dire mais se demanda soudain qui était en train de séduire qui; qui, d'elle ou de lui, avait pris l'initiative de ce baiser qui était une aventure à lui seul. Nicolas eut un pressentiment funeste. N'était-elle pas de ces femmes capables de changer un homme pour la vie, de ces femmes qu'il fallait par principe tenir éloignées? Il n'y songea plus car la promesse de ce baiser était plus sûre et plus capiteuse que celle, si incertaine, de son avenir au fond immoral.

Les longs cils noirs de Willa lui frôlaient les joues comme des papillons de nuit. Il aimait ce battement d'ailes contrastant avec la fixité du regard qui entrait dans le sien sans entraves. Oui, il sentait qu'elle était bien, entre ses bras, si offerte, si féminine, pour tout dire... Ses désirs parurent abolis comme s'ils étaient définitivement comblés. Mais ce ne fut qu'un éclair, une seconde où il oublia toutes les femmes qu'il avait aimées. Puis il se pencha sur la bouche de Willa, lui laissant une dernière possibilité de se dérober. Elle la laissa s'envoler comme on ouvre la cage d'un oiseau prisonnier.

Leurs lèvres se touchèrent dans un silence de soie avant de se dévorer dans une orgie de mur-

45

mures qui disaient « oui » pour elle et « oui » pour lui. Le baiser de Nicolas devint celui de Willa, puis il vécut sur leurs lèvres sa propre vie, où il fit à leur insu le vœu de durer toujours. Aussi troublé qu'elle, Nicolas desserra son étreinte. Elle ne le retint pas. C'était fini.

Un moment après, ils reprirent leur masque et sirotèrent un dernier verre, enfouis dans deux fauteuils, face à face.

— De toute façon, Caris, disait Nicolas, même si j'avais appartenu à la famille royale, je ne vois vraiment pas en quoi j'aurais pu vous être utile.

— Nous pensions que vous... je veux dire la famille royale, pourrait avoir une influence auprès du gouvernement et empêcher la restitution de la couronne.

— Si la famille royale avait encore des représentants, s'ils avaient souhaité user de leur éventuelle influence, ne croyez-vous qu'ils l'auraient fait sans se soucier de votre avis ?

— Je n'en sais rien, professeur, et ça n'a plus beaucoup d'importance, maintenant. Nous n'avons plus le temps de nous poser ce genre de questions.

— Vous voulez dire vous et vos amis ?

— Oui, professeur.

— Que comptez-vous faire, au juste ? demanda Nicolas qui mourait d'envie de l'embrasser à nouveau mais se jura de s'abstenir.

Willa, qui ne pensait plus au baiser, qui avait repris confiance en elle et en sa mission, le regarda droit dans les yeux et joua le tout pour le tout. Sa voix était sérieuse et solennelle :

– Nous allons voler la couronne. La couronne et le reste des bijoux du sacre de Vladimir le Grand.

Il y eut un long silence. Nicolas s'entendit répéter :

– De Vladimir le Grand?

– Puisque vous nous refusez votre aide, c'est la seule issue.

– Après le charme, le chantage, si je comprends bien?

Nicolas se leva d'un bond et marcha jusqu'à la cheminée comme l'avait fait Willa, une demi-heure plus tôt. Il était en colère; plus qu'en colère, furieux, contre lui-même et contre Willa. Comme quoi il fallait toujours se fier à son instinct! Dès qu'il l'avait vue, il avait tout de suite su qu'elle était une fanatique de la pire espèce. Certes jolie, et même sensuelle, mais un vrai danger public! Dieu seul savait de quoi elle était capable pour graver son nom sur une poignée de diamants venue du fond des âges!

– Et je vous déconseille d'appeler la police, professeur. Contrairement à ce que vous pensez, c'est vous qu'on prendrait pour un fou.

– C'est pourtant vous, Caris, qui êtes complètement folle! Les bijoux de la couronne sont inestimables. Ils ne seront exposés que quelques jours, au musée d'Art moderne de Los Angeles. Vous n'avez pas idée du service de sécurité qui va être mis en place...

– C'est ce qui vous trompe professeur. Nous ne sommes pas une poignée de fanatiques irresponsables mais un groupe d'étudiants qui se bat pour la liberté. Et nous sommes très organisés. En ce qui concerne le service de sécurité, il vous suffira sans doute de savoir que je travaille au musée depuis plusieurs années.

Nicolas eut sérieusement envie de la secouer. Malgré cette colère, Willa trouva le courage de le regarder en face. Debout, les jambes solidement plantées au sol, les bras croisés sur la poitrine, les épaules rejetées en arrière, avec le regard d'un faucon prêt à frapper, il avait fière allure. A vrai dire, une allure intégralement royale...

– Vous travaillez au musée?

– Depuis plusieurs années, s'obstina-t-elle, comprenant qu'il n'était plus dans son intérêt de donner des détails.

Nicolas devina cependant qu'elle aimait ce travail, qu'elle aimait la proximité grandiose des œuvres d'art et qu'il lui serait pénible de s'en passer.

– Je suis sûr que vous aimez cet emploi, n'est-ce pas?

– En effet. Je l'aime beaucoup.

– Alors commencez par lui dire adieu, Caris. Sans compter que vous risquez de passer votre vie en prison, à vouloir jouer les Arsène Lupin; pour peu qu'un policier soit tué...

– Ça m'est complètement égal.

– Caris! Cette couronne d'opérette n'a plus

d'intérêt qu'à vos yeux et à ceux de vos... camarades. Nous serons bientôt en l'an 2000, et si ce joujou n'était pas constitué de rubis, d'émeraudes et de diamants, croyez-moi, personne n'y attacherait plus la moindre importance depuis longtemps. La couronne dormirait au fond d'un tiroir chez votre grand-mère qui la regarderait quelquefois en se disant que les temps ont changé. Voyez les choses en face, au nom du ciel!

— C'est ce que je fais, professeur. Nous ne sommes pas encore en l'an 2000 et, pour le moment, la couronne va être exposée à Los Angeles. Des milliers et des milliers de gens viendront l'admirer comme le symbole d'une époque de prospérité dont l'humanité aurait tout intérêt à se souvenir si elle ne veut pas courir à sa propre perte.

— Caris! Vous...

— Taisez-vous, professeur. Vous ne pouvez pas comprendre. Vous n'êtes qu'un égoïste. Vous ne pensez qu'à votre petit confort personnel. Vous avez beau enseigner l'histoire, vous êtes incapable de concevoir de grandes choses, incapable de concevoir qu'une noble cause vaille la peine en ce monde en dehors de votre petite existence de bourgeois de province. La meilleure preuve en est qu'à votre âge et avec la tête que vous avez, vous êtes seul à en mourir. Il n'y a pas de hasard, professeur. Bonsoir, je prendrai un taxi et merci pour le graves, vous m'avez épatée, je vous assure...

Nicolas la saisit à l'épaule, presque brutalement.

– Caris, vous ne réussirez pas.

– Ah oui! Comment pouvez-vous être sûr de ça alors que j'ai, moi, d'excellentes raisons de croire exactement le contraire? Maintenant, lâchez-moi.

– Caris, je...

– Je vous ai demandé de me lâcher, professeur.

Le regard dont il la gratifia se passait de commentaire. Willa ne jugea pas non plus utile d'en rajouter.

– C'est bon, dit-il enfin. Descendez de votre nuage. Je vous ramène.

Willa resta un long moment debout dans la nuit à regarder la jolie petite maison de ses grands-parents, la seule qu'elle ait jamais eue au monde. Située dans un quartier démodé de Los Angeles, elle avait le charme désuet des cottages de Cornouailles, avec son auvent de bois peint et ses fenêtres à petits carreaux fumés. A l'intérieur, tout était petit, simple et douillet. On y vivait à l'ancienne, loin du monde des hamburgers, des Walkman et du Coca-Cola.

Le quartier était pauvre mais vivant. Le dimanche et les jours de fête, des odeurs de cuisine de tous les pays du monde se mêlaient au petit bonheur dans les rues. Les gens se connaissaient tous et se promenaient en famille, s'arrêtant de-ci, de-là pour discuter entre voisins. Le reste de l'année, on travaillait dur.

Une silhouette masculine, voûtée mais solide encore, apparut à la porte de la maison.

– C'est toi, mon oiseau noir? demanda l'homme d'une voix inquiète.

– Oui, Apou.

La grand-mère, drapée dans un châle écossais, accourut à son tour.

– Ma chérie! Pourquoi restes-tu dehors, comme ça? Tu vas attraper froid, voyons. Rentre vite!

Willa ne se fit pas prier. Une fois à l'intérieur, elle embrassa ses grands-parents comme au retour d'un long voyage. Un dalmatien gris et blanc se jeta entre ses jambes et lui fit la fête. La maison sentait bon le paprika.

– Je prenais l'air, expliqua-t-elle. J'en avais besoin, je suis restée enfermée toute la soirée.

– Où est ta bicyclette? demanda Apou qui arborait son pyjama de flanelle havane favori.

– Je l'ai laissée au collège. Euh... J'ai dîné avec un ami. Il m'a ramenée et m'a laissée au coin de la rue.

– Un ami? sourcilla la grand-mère qui avait gardé son âme de jeune fille et adorait les romans d'amour.

– Oh, ne va t'imaginer des choses, Momika, sourit Willa, ce n'est pas du tout le genre d'ami auquel tu penses.

L'air penaud, elle ajouta:

– J'aurais dû appeler mais... on a pas vu le temps passer.

4

NICOLAS gara sa voiture sur l'avenue tranquille et bordée d'érables qui lui était si familière. La maison de ses parents n'avait rien de vaste ni de luxueux mais, bâtie en pierre de taille dans le style des années trente, elle valait tout de même un bon prix. De superbes pelouses, embaumées par les buissons de jasmin, lui faisaient un écrin de verdure original. Bientôt, les roses dont s'occupait tante Sophia fleuriraient en splendides bouquets rouges et orange.

— Bonsoir, Ramsey, lança Nicolas au géant qui lui ouvrit la porte.

— Bonsoir, Monsieur, répondit le domestique avec la complicité souriante d'un vieil ami. Quelle surprise!

— Je sais, il est tard. Y a-t-il encore quelqu'un debout, à cette heure-ci?

— Votre père est couché depuis longtemps, monsieur, mais ces dames regardent la télévision.

— C'est vrai que c'est le jour de *Dynasty*! s'amusa Nicolas.

— En effet, Monsieur.

Nicolas jeta un coup d'œil au salon où sa mère et tante Sophia, absorbées dans leur feuilleton favori, formaient un tableau aux contrastes touchants. Sa mère, assise bien droite dans un fauteuil de style, les mains posées sur les genoux et les jambes sagement croisées, portait une longue robe bleu marine stricte rehaussée par un double rang de perles. Ses cheveux blanc de neige s'argentaient sous les reflets de la télévision. A l'opposé, tante Sophia arborait un auburn un peu forcé pour son âge. Allongée de tout son long sur le canapé, elle dégustait des nougats florentins aux pistaches et à l'orange, dans un déshabillé soyeux aux couleurs chatoyantes.

Nicolas attendit un spot publicitaire pour révéler sa présence.

— Nicolas! s'exclama sa mère. Entre donc.

D'un haussement de sourcil amusé, Nicolas désigna la télévision.

— Tu es sûre? la taquina-t-il. Je ne voudrais pas t'empêcher de regarder la fin...

— Bah! s'exclama-t-elle avec un gracieux geste de la main qui montrait combien ça lui était égal. C'est du réchauffé!

Nicolas embrassa sa tante qui lui offrit un nougat.

— Moi, je ne suis pas comme ta mère, s'amusa-t-elle avec bonhomie. J'adore tout ce qui est bête. Alors je te laisse avec elle, mon petit.

Et elle se replongea dans ses aventures à l'eau

53

de rose. Nicolas prit sa mère par le bras puis l'embrassa tendrement.

– Alors, comment va-t-il? s'inquiéta-t-il.

La mère de Nicolas inclina dignement la tête.

– Tout ira mieux d'ici quelques jours, je pense. Il essaie de ne pas le montrer mais je suis sûre que cette affaire concernant la couronne lui est néfaste.

Nicolas saisit *Time* qui traînait sur un fauteuil. La couverture représentait la sainte couronne de Brasovie sur un fond de velours rouge et or. Il rangea le magazine sans l'ouvrir puis se dirigea vers la cheminée d'un air pensif.

– Avez-vous reçu le résultat des examens? demanda-t-il encore.

– Ce n'est pas un cancer. Ce qui ne change pas grand-chose, malgré tout.

Nicolas approuva d'un signe de tête mais il fut incapable de dire un mot.

– Ne t'en fais pas, Nicolas, tout va bien pour le moment. Il est très optimiste quant à l'avenir. Tout ce remue-ménage autour de la couronne lui a rappelé bien des choses, mais tu sais bien qu'il ne vit pas dans le passé. Ce n'est qu'une fatigue passagère. Nous sommes contents, je t'assure, si ce n'est, oui, avant la fin, j'aimerais tellement...

– Je sais, maman. Je fais le maximum, en ce moment.

Une lueur d'espoir éclaira le visage de la vieille dame.

– Tu crois que...?

– Je ne sais pas, maman, mais la couronne va être restituée et puis... les temps ont changé. Il n'est pas impossible que nous obtenions gain de cause. Mais es-tu certaine de...?

– Pour moi, non, mon chéri. Sophia te dirait la même chose. Nous sommes très heureux ici. Mais pour ton père, c'est différent.

Nicolas acquiesça.

– Je vais faire tout ce que je peux pour accélérer les choses, promit-il. Tu l'embrasseras pour moi. Au revoir, maman.

Une fois rentré chez lui, Nicolas fit une longue promenade sur la plage déserte. L'immensité de l'Océan l'apaisait, d'habitude, mais ce soir-là, il se sentit seul et désarmé, impuissant face à l'adversité et au mystère de la mort. Il eut besoin d'une image rassurante mais celle qui, d'instinct, lui vint à l'esprit, ne fit qu'aggraver son désarroi.

Willa Caris! Un moment il la maudit avant de s'incliner devant le flot de souvenirs bienfaisants qu'elle lui apportait : une peau douce et claire, une envolée de cheveux corbeau, un regard noir brûlant de confusion. Or ces réminiscences réveillaient aussi en lui une sombre colère, et toute cette beauté qu'elle lui avait donnée, il aurait aimé la brutaliser à distance. Dans un sens comme dans l'autre, il maîtrisait mal ses émotions dès qu'il s'agissait de Willa. Finalement, la colère l'emporta.

Le bon sens lui conseillait d'oublier la jeune

femme, de la rayer du nombre des êtres vivants. Son projet insensé ne pouvait réussir et il était probable qu'elle finirait ses jours en prison, tout comme ses amis infortunés. Ils couraient à leur perte et rien ni personne ne pourrait les retenir.

D'un autre côté, ils pouvaient réussir l'exploit de voler la couronne. Cette hypothèse le rendait fou. Il songeait à sa mère, il songeait à son père, à tant de choses qui lui commandaient d'agir à temps. La couronne devait retourner en Brasovie : si cette bande de fanatiques n'abandonnait pas son funeste projet, il préviendrait la police. Caris, comme les autres, serait jetée en prison... Or, cette image lui fut aussi pénible que les autres. Il imagina le désarroi des grands-parents de Willa, le tort causé à l'université, la foule hagarde des journalistes massés autour de la jeune femme, les interrogatoires, la vulgarité humiliante des policiers, les prisons de Los Angeles, une vie gâchée pour rien...

Nicolas savait qu'il n'aurait pas dû hésiter entre le sort des siens et celui d'une étudiante sans cervelle. Mais il savait aussi qu'il ne se pardonnerait jamais de l'avoir laissé gâcher sa vie pour une poignée de joyaux.

– Willa! Vous êtes pâle comme un linge, mon petit! Ça ne va pas? s'inquiéta Evelyn Cole, la gardienne en chef de la salle des Étrusques du musée de Los Angeles.

Willa sursauta. Elle venait d'être prise en flagrant délit de peur panique. L'exposition approchait. Willa pensait au vol de la couronne qui devait avoir lieu le lendemain soir, pendant la soirée de gala qui serait donnée au musée en présence du gouverneur. Pour l'heure, elle déballait les piédestaux et les vitrines électroniques qui allaient servir d'écrin aux bijoux royaux de Brasovie.

– Si, si! nia-t-elle. Ne vous inquiétez pas, Evelyn. Je travaille depuis ce matin dans cette pièce sans fenêtres et je commence à étouffer, c'est tout.

– C'est vrai que ça manque d'air, ici, mais il paraît que les ondes magnétiques des vitrines doivent être maintenues loin de la lumière du jour. Je me demande bien pourquoi... Enfin, ne vous plaignez pas, Willa, vous allez avoir l'occasion d'aller faire un tour dans le grand hall. Quelqu'un vous demande, en bas.

– Quelqu'un?

– Un homme, sourit Evelyn Cole avec un clin d'œil complice. Et pas n'importe quel homme...

Inquiète, Willa se recoiffa d'un geste symbolique avant de descendre dans le grand hall. Elle était épuisée. Dans la journée, elle travaillait au musée à la préparation de l'exposition et la nuit, elle retrouvait ses amis pour mettre au point les derniers détails de leur plan insensé. La tension nerveuse augmentait d'heure en heure. Cette visite impromptue ne lui disait rien qui vaille. Elle fit cependant bonne figure au bureau de contrôle qui marquait l'entrée de la zone placée sous haute surveillance.

Lorsqu'elle aperçut Nicolas qui l'attendait au pied d'une magnifique statue grecque, ce fut comme si son cœur s'arrêtait de battre. La peur ne dura qu'un temps. Très vite, elle savoura la proximité de deux parfaits exemples de beauté masculine. L'un de marbre étincelant et tout auréolé de lumière blanche, l'autre en chair et en os n'ayant rien à envier au sublime athlète qui le dominait et dont l'énigmatique beauté avait traversé la nuit des temps. Willa poussa la comparaison aussi loin que possible, déshabillant Nicolas de la tête aux pieds et lui faisant prendre la pose du marbre millénaire.

– Caris, vous vous êtes fait attendre, dit-il lorsqu'il l'eut rejointe. Serait-ce l'exposition qui vous occupe à ce point?

– Professeur... Je ne m'attendais pas... Enfin, vous...

Pour se donner une contenance, Willa s'humecta les lèvres mais elle se souvint du baiser de Nicolas. Elle se passa la main sur la joue mais se rappela les caresses de Nicolas; elle aspira une bouffée d'air frais mais respira ainsi le parfum ambré de l'eau de toilette de Nicolas.

– Vous avez de la poussière sur la joue, dit-il en la lui ôtant du revers de la main.

– Je m'occupe de l'installation de l'exposition.

– Je vois. Et la couronne arrive demain, c'est bien ça?

– En effet, professeur.

La voix de Nicolas imitait le ton d'une conver-

58

sation ordinaire mais on y décelait aussi une détermination sans faille. Il prit Willa par le bras et l'entraîna à l'écart.

— Avez-vous toujours l'intention de jouer les Arsène Lupin, Caris?

— Dois-je comprendre que vous avez décidé de vous associer à nos exploits, professeur? fit Willa en bombant la poitrine pour se donner du cran.

— Caris! Je ne sais pas ce qui me retient de...

— D'avertir la police? Dans ce cas, je ne comprends pas ce que vous faites ici, professeur.

Nicolas garda son sang-froid mais il s'accorda tout de même un moment pour examiner Willa que l'émotion embellissait sensiblement.

— J'y ai pensé, Caris.

— Et alors, qu'est-ce qui vous retient? minauda Willa qui se sentait beaucoup moins sûre d'elle-même qu'elle ne le montrait.

— Il me faudrait un certain temps pour accumuler contre vous et vos amis suffisamment de preuves pour vous faire arrêter sur simple présomption. Plus de temps en tout cas que je n'en ai...

Il sourit mais Willa ne fut pas dupe de ce sourire.

— En vérité, reprit-il, l'idée de vous voir jeter en prison est loin de me laisser indifférent, Caris. Vous rendez-vous compte que vous risquez de gâcher toute votre vie dans cette affaire?

— Oui, professeur.

— Réalisez-vous que vous partez en guerre

contre le gouvernement et les intérêts des États-Unis? Que c'est un jeu très dangereux avec de vrais policiers, de vraies armes et de vraies balles? Que vous risquez d'être tuée, enfin?

– Oui, professeur.

Willa paradait car, en fait, elle était sur le point de se sentir mal. Son cœur battait à tout rompre. Elle était terrifiée à l'idée du hold-up bien qu'il fût trop tard pour reculer. Le compte à rebours avait commencé. Tout avait été minutieusement calculé, pensé, rodé depuis des mois. Il avait fallu beaucoup de temps et d'argent pour mettre au point ce projet auquel Willa avait toujours cru plus fort que les autres. Alors pourquoi cette envie soudaine de tout abandonner pour se jeter dans les bras de Nicolas?

– Sans compter que je suis certain que tout repose en grande partie sur vos épaules, Caris. C'est vous qui travaillez au musée, c'est donc vous qui connaissez les consignes de sécurité, n'est-ce pas?

Elle ne répondit pas. Il la prit aux épaules, presque brutalement, comme s'il voulait faire pénétrer sa volonté en elle.

– Caris, je vous en conjure, renoncez à ce projet insensé pendant qu'il en est encore temps. Il y a une semaine, vous m'accusiez d'égoïsme mais avez-vous songé à ce qu'il adviendra de vos grands-parents s'il vous arrive malheur, si vous passez en jugement et êtes condamnée à dix ou vingt ans de prison ferme?

60

– Ils sauront que j'ai essayé. Ils comprendront pourquoi je l'ai fait.

Nicolas relâcha sa proie et l'abandonna au pied d'une gigantesque statue d'Athéna triomphante. Avant de quitter l'intrépide étudiante qui lui tenait tête (ce qui n'était jamais arrivé), il la défia d'un regard noir, austère, presque meurtrier.

– Je ne vous laisserai pas faire cette sottise, assena-t-il enfin.

Et il disparut à grands pas dans l'immense hall fin de siècle, si vaste que même les cris d'enfants s'y changeaient en murmures.

Le lendemain matin, entre son cours de civilisation slave et celui d'histoire roumaine comparée, le professeur Francia s'enferma dans son bureau pour passer trois mystérieux coups de téléphone. Quelques minutes plus tard, il était en possession d'une invitation en bonne et due forme pour la soirée de gala qui aurait lieu le soir même au musée. Il commanda ensuite un café serré puis consulta la presse nationale et internationale. Le *Los Angeles Times* publiait en première page une photographie réussie de la couronne avec, sur huit colonnes, ce titre prometteur : « Une nouvelle ère commence pour les relations des États-Unis avec la Brasovie et l'Europe de l'Est. » Suivait une interview de l'ambassadeur de Brasovie à Washington qui parlait de « la sagesse des nations », d'« un grand moment pour le peuple brasovien » et de « réconciliation pour la paix. » A la page trois, on pouvait lire, depuis l'an mille jusqu'à nos jours, la merveilleuse histoire de la sainte couronne de Brasovie pour laquelle les plus grands avaient toujours donné ce qu'ils avaient de plus cher au monde.

5

Le lendemain soir, le musée brillait de tous ses feux. Des projecteurs installés sur le toit du bâtiment déversaient des flots de lumière dorée sur le parking et les jardins. D'autres, dissimulés entre les branches de magnolias centenaires jouaient avec les ombres de la nuit et jetaient leurs clartés roses sur les façades. Des flambeaux brûlaient sur les terrasses. Une cohorte de soldats en grand uniforme bordait, sur cinq rangs, le tapis rouge qui recouvrait le monumental escalier d'accès au grand hall. Un cortège de limousines déversait à son pied tout un petit monde en smoking et robe du soir. Les flashes omniprésents évoquaient le bouquet final d'un feu d'artifice. La présence d'une centaine de chaînes de télévisions venues de tous les pays achevait de rendre l'événement solennel.

Nicolas se gara en retrait, dans l'avenue qui longeait le parc arborifère du musée. Il fut rassuré par l'importance voyante du service de sécurité. Après avoir présenté son invitation au contrôle et s'être laissé fouiller sans broncher, il perdit son optimisme, à l'intérieur. Exposée au milieu du grand hall sur un piédestal de marbre et dans une cage de verre, la couronne paraissait bien vulnérable. Il s'en approcha.

Ce qui le frappa d'abord, ce fut sa petitesse. C'était une tiare plus qu'une couronne mais elle était sertie de diamants d'un éclat exceptionnel, surmontés d'une double rangée de rubis Dacca et d'émeraudes Anubis, les plus rares qui fussent au monde. L'ensemble était monté sur un rameau d'or et de lapis-lazuli ciselé à la perfection. C'était l'un des plus beaux bijoux jamais créés. Il rivalisait en splendeur avec le grand pectoral impérial de Touthankamon, le merveilleux collier sacral des impératrices de Chine ou la sublime couronne des derniers rois de Suède.

Nicolas le contempla un long moment. Le joyau imposait silence. Taillé dans les plus nobles pierres par les plus nobles mains, il avait quelque chose d'immatériel qui faisait douter de sa réalité. N'allait-il pas s'évanouir comme une illusion si on le pressait de livrer son secret? N'était-ce pas profaner sa beauté que de l'exposer ainsi aux yeux du monde? Le regarder équivalait à revivre un millénaire de tribulations royales. Son immortel éclat avait eu raison de tous les intérêts, de tous les fanatismes, de tous les pouvoirs. Il avait échappé à ses créateurs parce qu'il était inestimable, son prix dépassant tout ce qui pouvait s'acheter et se vendre. La beauté se trouvait ainsi protégée à jamais des mains des marchands de bonne et de mauvaise fortune.

Nicolas songea au célèbre vers de Lamartine : « Objets inanimés avez-vous donc une âme qui donne à notre âme la force d'aimer. » Il regrettait sincèrement d'avoir à se mêler une nouvelle fois du destin de cet extraordinaire bijou. Il s'imprégna de sa beauté puis se mit à la recherche de Willa.

La foule augmentait sans cesse. Trouver Willa dans cette cohue de notables endimanchés ne fut pas facile ; Nicolas l'aperçut enfin, en robe décolletée lavande, qui prenait le frais sur la terrasse orientale du musée. Un garçon blond en spencer blanc et nœud papillon noir achevait de dresser les tables pour le dîner. Nicolas eut l'impression de le connaître mais il reporta son attention sur Willa. La robe lavande allait bien à son corps de danseuse mais Nicolas songea qu'un rouge rubis eût mieux fait l'affaire. Il se fit apporter deux coupes de champagne puis s'avança vers elle qui lui tournait le dos.

– Caris ? lança-t-il lorsqu'il fut derrière elle.

La voix de Nicolas lui fit l'effet d'une pluie glacée. Éperdue, elle fit volte-face. Son parfum tourna dans l'air du soir pour frapper Nicolas au visage. C'était une note boisée de santal, épicée de civette, parcourue des milles accords du bois de rose, de l'iris et de l'opoponax. C'était un poison des mille et une nuits, un philtre qui parlait de voyage, un serment de trois fois rien.

– Professeur! Que faites-vous ici?

– Caris! la taquina Nicolas. Vous n'êtes pas heureuse de me revoir?

Hormis ses yeux troublés et troublants, Willa restait de marbre.

– Vous n'étiez pas sur les listes d'invités, dit-elle tout en jetant un coup d'œil par-dessus l'épaule du professeur.

Il se retourna pour savoir ce qu'elle regardait. Le même serveur rôdait autour des tables qui n'avaient plus besoin de soin. Nicolas comprit que c'était un des acolytes de Willa. Il ne s'était donc pas trompé : le vol de la couronne aurait lieu pendant la soirée d'inauguration.

– Non, mais j'ai de bons amis, répondit-il d'un ton mondain qui exaspéra Willa.

– Allez-vous-en! murmura-t-elle entre ses dents. Si vous voulez voir la couronne, revenez demain avec les curieux. L'exposition ouvre à dix heures.

– Je crains malheureusement qu'il n'y ait plus rien à voir, demain. Et je vous interdis de faire de l'œil au garçon qui est derrière moi. Ce n'est pas du tout votre genre. Trop mou, trop blond. Vous avez besoin de quelqu'un qui vous résiste, Caris.

– Allez-vous-en! s'obstina-t-elle. Allez-vous...

Nicolas n'avait pas l'intention d'en supporter davantage. Il la prit brutalement dans ses bras et l'embrassa de même. Willa suffoqua.

– Vous aimez? railla-t-il après l'avoir relâchée.

66

Willa titubait presque. Elle avait envie de pleurer.

– Vous ne supporterez pas la prison, ajouta-t-il pour l'ébranler davantage.

– Allez-vous-en! hoqueta-t-elle.

– Navré de vous décevoir, Caris, mais je ne vous lâcherai plus d'une semelle à partir de maintenant.

– Pourquoi? Le sort de la couronne vous est égal, celui de la Brasovie aussi. Vous ne lèveriez même pas le petit doigt pour empêcher la Troisième Guerre mondiale! Alors pourquoi faites-vous ça? Pourquoi?

– Je n'en sais rien, Caris. Il se peut bien que je sois aussi fou que vous, au fond...

Et il la reprit dans ses bras. Alors qu'ils n'avaient fait que s'affronter jusque-là, leurs corps trouvèrent d'emblée un terrain d'entente. Tout fut oublié un moment. Suspendue aux lèvres de Nicolas, Willa s'abreuva aux délices de son baiser. La nuque masculine brûlait sous ses doigts noués. Lui la tenait au creux des reins, absorbé dans le parfum d'une chevelure, le goût d'un sourire, le noir et blanc d'une paupière close. Il rompit le charme lui-même pour rester maître de la situation.

– Vous n'auriez pas dû faire ça, professeur...

Nicolas fut frappé par la dignité du beau visage qui lui reprochait ce qui venait de se passer. Il eut envie de baisser les yeux mais la saisit au contraire au poignet, d'une main de fer.

67

– Partons d'ici, décida-t-il en l'entraînant à sa suite comme une esclave enchaînée.

– Vous êtes fou!

– Venez.

– Lâchez-moi! Mais lâchez-moi...

Nicolas resserra son étreinte. Willa lui résistait de toutes ses forces. Elle se retournait à chaque pas qu'il l'obligeait à faire dans l'espoir d'apercevoir ses amis. Et ils étaient bien là! Elle discernait encore leurs visages ahuris. Pourtant, ils ne bougeaient pas. Nicolas déjà l'entraînait dans le jardin des roses qui séparait le parc du musée des avenues désertes.

– Lâchez-moi ou je hurle! menaça-t-elle.

– Si vous criez, les vigiles seront alertés et vous auront à l'œil toute la soirée. C'est d'ailleurs pour cette raison que vos amis s'intéressent si peu à votre cas. Qu'ils essaient de nous arrêter et ils n'auront plus aucune chance d'emporter la couronne. En admettant que cela soit possible sans vous, Caris! Avancez, maintenant.

– Lâchez-moi, espèce de brute, ou je crie. Je m'en fiche, je crie si vous ne me lâchez pas...

Nicolas stoppa au milieu des roses. Il attira Willa contre lui, de sa main libre il saisit une poignée de cheveux noirs, lui renversa la tête en arrière et approcha ses lèvres de la bouche de la jeune femme.

– Essayez, Caris. Je connais un excellent moyen de vous faire taire.

Hoquetante, ahurie par la violence qui émanait de Nicolas, Willa comprit qu'il était prêt à tout pour protéger la couronne. Une angoisse lui étreignit le cœur qui dut se peindre sur son visage car il la relâcha avant de lui reprendre le poignet. Nicolas considéra un moment les lèvres de Willa, serrées mais tremblantes.

– En avant. Soyez sage et je ne vous ferai pas de mal.

Et il se mit à courir sans respecter les allées bien tracées du jardin, comme à travers champs. Dépassée par les événements, Willa tomba sur les genoux plusieurs fois, au milieu des roses qui se vengèrent de l'affront qu'on leur faisait en la piquant sans pitié. Nicolas ne s'arrêta même pas, la relevant à la force du poignet et la traînant derrière lui sans se soucier des « Aïe » et autres cris indignés de la prisonnière.

Lorsqu'ils atteignirent la Lancia, Willa s'y adossa pour reprendre haleine. Ses poumons la brûlaient et son cœur résistait mal à l'ouragan de sensations contradictoires où l'avait entraînée Nicolas. Il chercha ses clefs, ouvrit la portière du côté du conducteur et poussa Willa à l'intérieur.

– Je me demande comment j'ai pu vous prendre pour un prince! hurla-t-elle.

Il éclata de rire puis s'installa au volant.

– Si ça continue, je vais finir par croire que vous êtes en train de m'enlever! assena-t-elle avec un regard furieux.

– Mais c'est exactement ça, mademoiselle Caris. N'ayons pas peur des mots, sourit-il d'un air content de soi. Au point où nous en sommes...

«Je n'arrive pas à y croire» était à peu près la seule pensée qui tournait dans le cerveau de Willa comme une mélopée lancinante. Il y avait des variantes comme «Ça n'est pas vrai!» ou «Je rêve!» mais toutes revenaient à échapper au fait que Nicolas Francia – le *professeur* français – l'avait enlevée pour empêcher le vol de la couronne.

Il conduisait avec assurance à plus de cent cinquante kilomètres heure. Derrière eux, Los Angeles et le musée illuminé n'étaient plus qu'un mauvais souvenir. Et si Willa ruminait en vain le passé pour échapper au présent, Nicolas le savourait au contraire pour éviter de penser à l'avenir. Il aimait rouler à tombeau ouvert et, pour une fois, il ne s'en privait pas. Plus il y avait de distance entre eux et la couronne, mieux c'était!

Willa se remettait du choc, peu à peu. Elle était encore incapable de parler mais elle consentit, au bout d'une heure de silence, à faire un geste et à le regarder. Le profil de Nicolas lui parut volontaire sur le fond des lumières de l'autoroute qui défilaient comme des fantômes, comme des illusions. Une seule pensée lui vint devant cette ombre masculine, c'était le souvenir immatériel d'un baiser donné dans un jardin de roses. Mieux encore! Ce profil, elle le connaissait depuis toujours. Il décorait le côté face des lourdes pièces d'or que sa grand-mère gardait comme un trésor dans un coffret de cèdre du Liban doublé de vrai cuivre d'Asie.

Une sorte de paix succéda au tumulte de son cœur; une paix étrange et bienfaisante comme une libération. Oui, elle se sentait libérée de tout ce qui avait pesé sur ses frêles épaules, des semaines durant. Sans elle, ses amis ne pouvaient plus dérober la couronne. Soudain, cette vérité lui fut indifférente. Willa ne voyait qu'une chose : elle n'était pour rien dans l'échec de leur projet insensé. Mieux, elle avait fait l'impossible pour le mener à bien! Maintenant, c'était fini, la couronne n'avait plus rien à craindre de personne. Willa ne se sentait coupable de rien, pas même de son immense soulagement. Pour un peu, elle se serait jetée au cou de Nicolas. Sa fierté l'en empêcha car, si son honneur sortait sain et sauf de l'aventure, son orgueil, au contraire, était plus que blessé.

La vitesse augmenta encore. Willa se blottit sur son siège en prenant bien soin de tourner le dos à Nicolas. Elle se dit alors qu'il n'avait peut-être pas tort. Il fallait être folle à lier pour avoir envie de sauter au cou d'un homme qui venait de vous enlever et de détruire une partie de votre vie sans crier gare! Mais soudain, terrassée par une immense fatigue, Willa s'endormit comme on s'endort avec la satisfaction du devoir accompli.

Nicolas n'était pas mécontent de lui non plus. Willa pouvait le remercier! Il lui avait évité de faire la pire bêtise de sa vie, ce qui n'était pas rien. L'exposition durait malheureusement trois jours, trois jours pendant lesquels il fallait empêcher Willa de retourner à Los Angeles. Rentrer chez lui les exposait aux représailles de Joe Lasky et de sa bande de fous furieux. Mieux valait, donc, aller à l'aventure, au gré du vent et, pendant trois jours, veiller sur la bouillonnante Willa Caris, perspective qui avait aussi son charme.

Trois cents kilomètres les séparaient du musée lorsque la fatigue l'avertit que rouler devenait dangereux. Le néon bleu étoilé d'un motel apparut alors au ras de l'horizon. Nicolas sourit à l'idée d'un bon lit puis il se rembrunit aussitôt. Sa nuit avec Willa lui parut soudain une corvée. Ne dormir que d'un œil pour l'empêcher de filer allait être un supplice.

– Réveillez-vous, Caris! Nous sommes arrivés.

Il n'eut qu'à remuer l'épaule pour la secouer car, depuis une dizaine de kilomètres, la jeune femme s'était accrochée au bras du conducteur.

Willa commença par sentir l'odeur de cuir du siège, puis un parfum d'homme, un parfum d'after-shave. Elle était appuyée sur quelque chose de chaud et qui respirait. Ouvrant un œil, elle comprit que c'était Nicolas. Tout lui revint en mémoire.

– Réveillez-vous, Caris! Nous sommes arrivés.
– Où ça? grogna-t-elle d'une voix méchante.
– Vous ne voyez pas?

Regardant de ses deux yeux, Willa vit d'abord la pluie, tel un rideau brillant sur le pare-brise, puis un néon criard qui clignotait dans la nuit.

– On dirait que je me suis endormie... Où sommes-nous?

– Quelque part au nord de Santa Barbara. Allez, courage, Caris, vous pourrez remettre ça d'ici un petit quart d'heure, la taquina-t-il.

Mais...

– Quoi?

– Je... je n'ai rien à me mettre.

Il rit.

– C'est fini les soirées de gala, mon petit. Il faut dormir, maintenant.

Le «mon petit» réveilla Willa on ne peut mieux.

– Dormir? Avec vous?

– Ça ne vous plaît pas de passer un petit week-end tranquille avec moi, Caris?

– Je... je n'ai rien à mettre.

– Vous l'avez déjà dit.

– Je veux dire pour dormir, me changer et je vous passe les détails!

– Je n'avais pas du tout prévu cette petite escapade, vous savez. Ceci dit, j'ai mon sac de sport à l'arrière. Vous trouverez bien quelque chose à vous mettre là-dedans, s'amusa-t-il en lui passant un gros sac de cuir fauve. De toute façon, c'est ça ou rien.

– J'vous déteste. J'vous déteste, répéta Willa sur le ton qui avait fait le succès de Brigitte Bardot.

– Caris! Je suis fatigué. Je n'ai pas l'habitude d'enlever les jeunes filles. Alors faites un effort, s'il vous plaît, et sortez de cette voiture si vous ne voulez pas que je la gare dans un fourré et vous y laisse enfermée toute la nuit.

Willa eut envie de le gifler mais elle se reprit lorsqu'elle s'aperçut qu'il était vraiment fatigué. Pour la première fois, elle tenta même de voir les choses du point de vue de Nicolas. Peut-être était-il aussi bouleversé qu'elle par les événements de la soirée? D'ailleurs, elle le croyait lorsqu'il affirmait ne pas avoir prévu l'enlèvement. En revanche, elle ne comprenait guère ce qui avait pu conduire un esprit pareillement logique à commettre un acte aussi insensé, aussi impulsif. Il fallait que le jeu en vaille la chandelle!

Sous la pluie, Nicolas la prit par la taille et l'abrita de son mieux en la serrant contre lui.

– J'ai l'air de quoi en robe du soir dans cette gadoue? râla-t-elle en ravalant un sourire.

– Tout ce qu'on vous demande, Caris, c'est d'avoir l'air de mourir d'envie de passer la nuit avec moi. Ils nous donneront une chambre sans trop se poser de questions et ne vous demanderont pas vos papiers. Puisque vous ne les avez pas sur vous, c'est ça ou dormir dans la voiture, compris?

– Compris, professeur!

6

– Bien! murmura Nicolas après avoir refermé sur eux la porte de la chambre du motel *Pacific*.

Willa s'était réfugiée sur le grand lit confortable et elle dévorait Nicolas des yeux. Son smoking et ses cheveux mouillés n'affectaient en rien son élégance. En revanche, il avait abandonné cette attitude hautaine, presque méprisante, qui le caractérisait. Willa le trouva soudain plus vrai, plus humain.

– Si je comprends bien, commença-t-elle, vous n'allez dormir que d'un œil, cette nuit, professeur.

– S'il le faut je jetterai la clé par la fenêtre, Caris, mais je vous assure que vous ne sortirez pas d'ici sans moi. D'ailleurs, je me réveille au moindre bruit.

– Et... pour la salle de bains? On fait comment?

Nicolas examina les lieux.

– La fenêtre est trop étroite, déclara-t-il. Pas de problème de ce côté-là.

– D'autant que nous sommes au deuxième

étage! renchérit Willa d'un ton moqueur. Je crois que le problème serait plutôt de savoir comment *vous* allez prendre votre douche, vous. La porte de la chambre est à fermeture automatique. Pas besoin de clef pour l'ouvrir de l'intérieur, vous n'aviez pas pensé à ça, je suis sûre?

Nicolas la dévisagea avec un certain étonnement.

– Je ne m'attendais pas à ce que vous soyez aussi coopérative, Caris. Bon, allez faire votre toilette, pour l'instant. Nous verrons ensuite, lui intima-t-il en lui tendant son sac de sport. Vous trouverez le minimum vital, là-dedans.

– Pas d'anti-rides, alors? Vous avez tort, professeur, on a qu'une fois vingt ans, comme disait Monterlansky. Un de vos auteurs préférés à ce que disent les journaux, le taquina-t-elle encore avant de s'enfermer dans la salle de bains cossue.

Elle examina le sac de sport avec un certain intérêt. Il était beau, souple, masculin en diable. Fouiller dans les affaires de Nicolas l'amusait à plusieurs titres. Elle tomba d'abord sur un blaireau qui sentait bon le savon à barbe, un rasoir en ébène aux lignes futuristes et un tube de crème à raser de chez Hermès. Ses doigts trouvèrent ensuite un luxueux flacon d'after-shave. Elle ôta le bouchon en vrai bois de rose et respira la délicieuse senteur ambrée qu'elle connaissait déjà, quoique modifiée par l'odeur mate de Nicolas. Bien consciente qu'elle jouait avec le feu, Willa trouva aussi un caleçon orange vif qui la fit chavirer, un maillot de bain marine, style boxeur, avec une petite poche à fermeture éclair sur la cuisse gauche, un gant de crin, un gel douche au vétiver et finalement, un bon savon de Marseille qui lui remit les idées en place. Puisqu'elle avait trouvé ce qu'il lui fallait, elle n'eut pas le courage de fouiller dans les profondeurs du sac qui devaient pourtant contenir d'autres trésors.

Lorsqu'elle se glissa sous la douche, elle imagina Nicolas en nageur, en judoka, en gymnaste...

– Caris? hurla-t-il alors de l'autre côté de la porte. Vous en avez encore pour longtemps?

A sa voix inquiète, Willa comprit qu'il avait à nouveau des doutes quand à la taille de la fenêtre de la salle de bains.

– J'arrive! N'ayez pas peur, je ne me suis pas encore envolée.

Lorsqu'elle voulut regagner la chambre, Willa dut affronter de plein fouet le regard de Nicolas qui lui barrait le passage d'un bras autoritaire.

– Il n'y a qu'une solution pour vous empêcher de filer pendant que je serai là-dedans, dit-il. Déshabillez-vous...

Willa prit son air de jeune fille indignée.

– Professeur!

– Déshabillez-vous et drapez-vous dans une serviette éponge. Quand vous serez prête, je vous laisserai seule dans la chambre. Allez, Caris, on ne discute pas. J'ai sacrément envie de prendre une douche, moi aussi.

– Je refuse. C'est aussi clair que ça.

– Écoutez, Caris, c'est ça ou on appelle la police. A vous de choisir et de savoir si vous avez envie de dormir dans un lit cette nuit. J'ajouterai qu'il fait un temps de chien, dehors. Il fait froid, il pleut et il sera bientôt minuit. Franchement, je vous déconseille d'aller vous promener dans cette tenue, acheva-t-il en désignant du doigt un drap de bain jaune soleil.

Willa pesa le pour et le contre. Il y avait une troisième solution qui consistait à avouer qu'elle n'avait plus du tout envie de s'enfuir. Elle y renonça d'emblée car elle comprenait mal ce qui avait à ce point changé en elle en quelques heures.

– Je peux quand même garder...

– Non, enlevez tout. Et dépêchez-vous, nous tombons de sommeil, tous les deux.

Une fois seul, Nicolas se mit à tourner dans la chambre comme un lion en cage. Il était furieux d'avoir à se comporter ainsi avec Willa, furieux contre lui-même. Certes, ce n'était pas la première fois qu'il demandait à une femme de se déshabiller, mais de là à l'exiger, à exercer sur elle une sorte de chantage!

Cramponnée au drap de bain soleil qui lui ceignait la poitrine et lui frôlait les genoux, Willa réapparut sans tarder. Elle avait l'air de ces gens qui se jettent dans le vide pour échapper à un incendie.

– Je peux sortir, maintenant? articula-t-elle d'une voix blanche.

Nicolas fut attristé de la voir si mortifiée. Au fond de lui-même, il avait envie de la voir rire aux éclats, envie de la ramener à la douceur de vivre, de partager avec elle ce qu'il y avait de meilleur au monde. La vie, songea-t-il, n'en avait pas décidé ainsi. A la limite, elle aurait même dû s'estimer heureuse de passer la nuit dans une chambre d'hôtel confortable plutôt que dans le bureau de la police criminelle.

– Vous avez tout enlevé? grogna-t-il.

Willa le gratifia d'un regard d'encre.

– Venez vous rendre compte par vous-même, au point où vous en êtes! cracha-t-elle avant d'aller se cacher sous les couvertures.

Comprenant qu'il aggravait désespérément son cas et que le week-end risquait de tourner au cauchemar, Nicolas s'engouffra dans la salle de bains sans rien ajouter. Willa avait soigneusement plié ses vêtements en un petit tas que couronnait sa robe lavande et ses escarpins renversés. Pour vérifier que tout y était, Nicolas aurait dû fouiller mais il ne put s'y résoudre. Lorsqu'il s'aperçut que sa brosse à dents était mouillée, il eut un moment d'hésitation. Il était intraitable sur ce chapitre. Or, il constata avec étonnement qu'utiliser la même brosse que Willa lui était absolument égal. D'ailleurs, ne l'avait-il pas embrassée à en perdre la tête dans la roseraie du musée?

Lorsqu'il revint dans la chambre, il surprit Willa penchée sur le téléphone. En dépit de la fraîcheur mentholée du dentifrice, sa bouche devint sèche. Ses yeux jetèrent des éclairs. Une nouvelle fois, il eut envie de la maltraiter. Il ne supportait pas qu'on abusât de sa confiance.

— Je... je ne m'en suis pas servie, bredouilla-t-elle. Je vous le jure, croix de bois, croix de fer, si je mens je vais en enfer...

— Caris! J'en ai par-dessus la tête de vous voir jouer avec le feu. Qui vouliez-vous appeler? Dites-le ou je...

— Mes grands-parents, coupa-t-elle. Ils vont être fous d'inquiétude si je ne rentre pas ce soir.

Nicolas la jaugea un moment puis décida qu'elle disait vrai. Il vint s'asseoir à côté d'elle, sur le lit.

— Composez le numéro, ordonna-t-il. C'est moi qui tiendrai le combiné. Je vous préviens, je raccroche si vous ne vous en tenez pas au strict minimum.

Willa eut un regard amusé mais elle n'osa pas dire qu'elle trouvait qu'il en faisait un peu trop. Évidemment, il ignorait qu'elle n'avait plus l'intention de s'échapper...

Elle appela ses grands-parents. A Los Angeles, le téléphone sonna trois fois. Personne ne répondit. Willa coula un regard en biais vers la montre de Nicolas. Il était minuit passé.

— Allô, fit une voix ensommeillée, à l'autre bout du fil.

Willa se raidit. Nicolas aussi, qui se tenait prêt à raccrocher au moindre mot suspect.

— Apou? C'est moi...

— C'est toi, mon chat?

– Oui, je...

– Tu as une drôle de voix, ma chérie. Ah, c'est peut-être le téléphone? On dirait que tu n'es pas à Los Angeles!

– Si, si... Je... Je vais très bien. Je voulais seulement vous prévenir de ne pas vous inquiéter, toi et Momika.

– Willa! Tu ne nous dirais de ne pas nous inquiéter si tout allait bien. Allez, avoue ce qui se passe...

– Rien, je t'assure. Simplement... je ne rentrerai pas à la maison ce soir. Je vais rester ici...

– Ici? Où ça? Où es-tu? Au musée?

Il y eut un silence affolant. Willa avait du mal à mentir. Nicolas le sentait et il s'attendait au pire.

– Oui... Au musée... Le service de sécurité ne nous avait pas prévenus, évidemment. On doit rester sur place jusqu'à la fin de l'exposition.

Un moment de panique conduisit Willa à chercher les yeux de Nicolas, comme pour leur demander conseil. Elle fut surprise de les découvrir si proches des siens.

– Comment? Non, non, Apou, je t'assure. On a tout ce qu'il faut. Ils nous chouchoutent, tu penses! Oui... Tu embrasseras Momika pour moi. Oui... J'appellerai demain. Ne t'en fais pas. Dors bien, mon Apou. Au revoir, au revoir!

Et Nicolas raccrocha. Son regard tomba sur la délicieuse courbe à demi nue des seins de Willa. Elle le sentit, porta une main à sa gorge et frissonna comme un roseau dans les bras du vent.

– Hum! souffla-t-elle.

– Caris, je..., je suis désolé.

Willa eut soudain envie de rire. Elle comprit que l'enlèvement devenait aussi une «aventure» pour Nicolas. Peut-être même se rendait-il compte combien les choses leur échappaient, leur glissaient entre les doigts? A la limite, la jeune femme n'était pas étonnée de se trouver presque nue contre lui. Et lui, il luttait contre ce qu'elle réveillait de naturel au fond de son âme: une envie toute simple de la caresser, de goûter à sa beauté. D'un autre côté, il savait qu'un baiser ne viendrait pas à bout de son désir et qu'il valait mieux l'ignorer. Entre eux, pourtant, quelque chose était bien né à quoi il ne pouvait plus se dérober et qui, déjà, les conduisait à repousser l'ordinaire.

Willa resserra le drap soleil autour de ses seins puis elle reprit le masque de l'étudiante sans peur et sans reproche, Nicolas celui du professeur de charme qui faisait son devoir. Il alla chercher le sac de sport dans la salle de bains, le fouilla et en sortit un survêtement bleu roi à bandes gris pâle.

– Euh, Caris, prenez le haut. Vous serez mieux pour dormir. Il est propre, ne vous en faites pas.

– Ce n'est pas dans ma nature, professeur, de me faire de la bile! Sans quoi je serais au trente-sixième dessous, à l'heure qu'il est, sourit-elle en attrapant le vêtement d'un geste gracieux.

– J'avais l'impression que vous étiez même plus bas, Caris, sans vouloir vous offenser...

Willa disparut dans la salle de bains et

s'enferma à double tour en faisant un maximum de bruit avec le verrou. Elle enfila le vêtement de sport qui lui tomba à mi-cuisses. Aussitôt, elle imagina Nicolas vêtu de l'autre moitié du survêtement, torse nu... Comme elle adorait jouer avec le feu, elle saisit le flacon d'after-shave et s'imprégna de son odeur épicée et fraîche de fruit tropical. Dehors, la pluie tombait toujours. La chaleur cossue de la salle de bains était un vrai plaisir.

De retour dans la chambre, Willa fut confrontée à ce qu'elle avait imaginé de mieux en matière de torse nu. Elle n'avait pas eu tort de comparer Nicolas à une statue d'athlète grec lorsqu'il était venu lui parler, au musée. Sa musculature avait quelque chose d'idéal dans les proportions. Il était bronzé, aussi. Sa peau avait une couleur unique, chaude, vivante. Des poils noirs assombrissaient ce souvenir du soleil au creux de sa poitrine, filaient sur ses abdominaux musclés et disparaissaient dans le beau bleu du survêtement qui lui allait comme un gant.

– Apportez-moi vos vêtements, Caris. Je vais les mettre dans mon oreiller. Ça m'évitera de vous veiller toute la nuit.

Willa bouda.

– Franchement, j'aurai l'air de quoi, demain matin?

– Objection rejetée. Demain matin, nous irons acheter des vêtements neufs, des pyjamas et tout le nécessaire. Ça vous évitera de vous parfumer avec mon after-shave.

83

Willa rougit un peu et se glissa gauchement dans le lit déjà chaud.

– Ça va être épatant de faire du lèche-vitrine avec vous, professeur! le taquina-t-elle pour cacher son trouble.

Elle ne croyait pas si bien dire. Mais avant de tourner le dos et de tout oublier l'un de l'autre dans le sommeil, ils parlèrent un moment de la pluie et du beau temps, comme dans un ascenseur, pour meubler le silence. Le silence mystérieux de la nuit qu'ils ne voulaient pas entendre.

7

L<small>E</small> lendemain matin, ils ne passèrent pas inaperçus lorsqu'ils déjeunèrent à la cafétéria du motel, en tenue de soirée. La serveuse avait dévoré Nicolas des yeux et demandé s'ils revenaient d'un mariage. Il avait répondu qu'ils arrivaient d'Europe, Willa avait ajouté « de Brasovie » et expliqué que la compagnie aérienne avait égaré leurs bagages. Pour s'amuser, Willa avait dit « C'est faux, tout ce qu'il vous raconte, en vérité ce monsieur m'a enlevée hier soir à Los Angeles. » La serveuse avait ri pour se donner une contenance mais elle était triste, un peu jalouse, même, de ne pas être à la place de Willa. Quoi de plus naturel, au fond, lorsqu'on est femme, de rêver d'être enlevée un jour par un aussi bel homme que Nicolas, d'être en somme arrachée à une vie ordinaire par une réincarnation de Cary Grant et de Tyrone Power ? D'autant que Nicolas, encore superbe à dix heures du matin dans son smoking de la veille, avait cette beauté royale à laquelle une virilité marquée n'enlevait rien de sa mystérieuse élégance.

– Vous êtes priée de ne plus raconter nos exploits aux serveuses de restaurant, ni à qui que ce soit d'autre, Caris, dit-il lorsqu'ils furent installés à bord de la Lancia.

– Elle ne m'a pas cru, répondit Willa en bouclant sa ceinture.

– Si elle n'avait pas été aussi fleur bleue, argumenta Nicolas, elle aurait très bien pu vous croire.

Willa éclata de rire.

– Franchement, m'auriez-vous cru, professeur, si vous aviez été garçon à la place de cette fille?

Il y eut un silence de sous-entendus.

– Non, je ne crois pas, admit enfin Nicolas.

– Et vous auriez eu raison, professeur. Il faut bien admettre que je n'ai pas vraiment l'air d'une pauvre victime innocente! Je me suis même trouvée assez bonne mine, ce matin.

– En vous regardant avaler vos croissants, je me demandais en effet ce qui pouvait vous mettre de si bonne humeur, Caris.

Le moteur vrombit. Willa se taisait.

– Alors? insista-t-il.

– Alors quoi?

– Pourquoi êtes-vous si... coopérative, Caris?

Comme elle n'avait pas envie de se poser la question, Willa se contenta d'un «Je ne sais pas» dit du bout des lèvres puis elle s'absorba dans la contemplation du paysage. La Lancia filait bon train sur la route du bord de mer. Le Pacifique était bleu comme le ciel de l'Himalaya. Des nuages légers comme de la Chantilly passaient sans se soucier de rien. Il y avait un peu de soleil.

Nicolas s'amusa même à faire du lèche-vitrine avec son otage, lui qui détestait, d'habitude, courir les magasins. Ils essayèrent tout ce qui leur plaisait avec des moues de Parisiens en province, rien que pour faire rager les vendeurs ronchons ou snobs des stations balnéaires qu'ils trouvaient en chemin. De boutique en boutique, Nicolas se rappelait toutes les femmes qu'il avait connues. Toutes l'avaient ennuyé avec leurs histoires de chiffons. Toutes l'avaient traîné chez les grands couturiers où il avait enduré les caprices des stars. Willa était au contraire d'un naturel épatant. Simple, gaie, drôle et jolie, elle avait un charme fou.

Nicolas, de son côté, avait toujours joué les grands seigneurs avec ses conquêtes puisque c'était au fond la seule chose qu'elles attendaient de lui. Il les emmenait dîner dans les grands restaurants, danser dans les boîtes dernier cri, skier dans les Rocheuses, surfer à Hawaii et se dorer sous le soleil d'Acapulco. Les plus jolies avaient eu droit à un week-end à Rome ou à un réveillon à Paris. Les plus sottes avaient dû se contenter de gerbes de baccarats commandées par téléphone, de cadeaux interchangeables et de dîners «à la maison» avec champagne et piano d'ambiance.

Chacune n'avait eu que ce qu'elle voulait, que ce qu'elle méritait. Willa, qui ne lui demandait rien, avait trouvé le meilleur moyen de tout obtenir.

Elle l'étonnait, elle l'étonnait même de plus en plus. Or, il y avait longtemps qu'une femme n'avait pas étonné le Pr Francia.

Willa ne s'en rendait pas compte.

Comme ses grands-parents n'étaient pas riches, elle n'avait jamais eu le plaisir de faire les boutiques chics, un samedi matin au bord de la mer. L'étonnement de Nicolas venait aussi du fait qu'elle n'avait pas honte de sa chance. Au contraire, elle y croyait et choisissait sans regarder les prix.

Les gens les regardaient beaucoup, à cause de leur tenue de soirée surprenante mais surtout parce qu'ils s'amusaient d'un rien. Les vendeurs leur parlaient comme s'ils étaient « quelqu'un » et traitaient Willa en femme de président. Quant aux vendeuses, elles lui auraient donné trois jupes pour le prix d'une rien que pour avoir le temps de graver dans leur mémoire le beau visage de Nicolas. Partout, on les recevait comme s'ils avaient porté bonheur.

– J'ai l'impression qu'on nous prend pour des vedettes de cinéma, sourit Willa, vers midi. Je me demande bien pourquoi.

– Parce que vous êtes jolie, Caris. N'allez pas chercher midi à quatorze heures.

Willa ne se démonta pas. D'ailleurs, elle croyait à une plaisanterie.

– Remarquez, si ça continue on va nous prendre pour des fous. Ça fait deux heures qu'on court les magasins et on n'a toujours rien acheté.

Nicolas sourit. Il était le seul à savoir pourquoi. Willa s'arrêta devant une vitrine.

– C'est ça que je veux, s'écria-t-elle, folle de joie. J'ai toujours rêvé d'un vrai pull marin à petites rayures, comme dans les films muets.

Nicolas retint une délicieuse envie de rire. Il était d'humeur à lui offrir une zibeline chez Ungaro et tout ce qu'elle voulait, c'était un vrai pull marin à petites rayures comme dans les films muets! Non, même au cinéma, il n'avait jamais vu ça!

Avec le pull marin de ses rêves, Willa choisit un jean tout simple, un tee-shirt avec des canards, une paire de chaussettes à damiers et des baskets blanches.

Nicolas fut plus classique. Dans une boutique anglaise, il opta pour un pantalon cossu havane, un pull-over écossais ivoire, des chaussettes entre les deux tons, une chemise blanche et une autre kaki, une paire de chaussures en nubuck et dans la foulée, un blouson de golf en daim.

– Si vous continuez par des slips blancs à poche, j'estimerai que vous êtes un vieux ringard, s'amusa Willa avant d'éclater de rire.

En matière de représailles, Nicolas l'entraîna dans une boutique et, sans lui demander son avis, il choisit pour elle un tailleur d'angora rubis à gros boutons de jais étincelants.

– Si madame veut bien..., commença la vendeuse qui roulait des yeux de velours en direction de Nicolas.

– Madâââme ne veut rien du tout, coupa Willa en battant des paupières. Madâââme ne mettra jamais ce truc. Madâââme a reçu un pot de géranium sur la tête l'année dernière et ça l'a dégoûtée du rouge...

Nicolas rit. La vendeuse s'étrangla.

– Essayez, ordonna-t-il.

– Pourquoi?

– Parce que je vous le demande, Caris; Faites-moi plaisir...

Willa faillit s'étrangler à son tour. Le sourire de Nicolas l'avait bouleversée. Elle s'empara du tailleur sous le regard triomphal de la vendeuse et disparut dans le salon d'essayage. Là, elle comprit pourquoi la matinée avait été si agréable, pourquoi les gens s'étaient retournés sur eux, pourquoi l'air avait été si doux. Elle enfila le tailleur et, sans même se regarder, elle sut tout de suite qu'il la transfigurait.

Nicolas eut le coup de foudre lorsqu'il la vit réapparaître. C'était une autre Willa, magnifiée, plus intimidante, plus femme et plus fatale. Le regard qu'elle lui jeta comme une rose fut, à l'instant même, un merveilleux souvenir. Ce regard disait : «Vous êtes beau, Nicolas, mais est-ce que je vous plais, dans ce truc?»

– Ça ira très bien, dit-il à la vendeuse en sortant une carte de crédit.

– Mais, professeur...

– Pour notre prochaine soirée de gala, Caris!
sourit-il avec un clin d'œil complice.

Willa capitula. L'angora était si doux, après
tout!

– On a tout ce qu'il faut, maintenant, non?
lança-t-il lorsqu'ils furent dans la rue.

– Non, vous avez besoin d'un pyjama et moi
d'une chemise de nuit. Remarquez, on pourrait
aussi bien prendre deux pyjamas, ça m'éviterait
de vous traîner dans une boutique de lingerie
féminine. Je sais que les hommes ont horreur de
ça.

– Avec vous, Caris, je suis sûr que ce sera une
vraie partie de plaisir...

Willa n'eut pas son mot à dire sur le pyjama.
Nicolas le choisit blanc. Les choses furent un peu
différentes pour la chemise de nuit. Dans la boutique de lingerie, Willa ne trouva pas tout de suite
son bonheur. La vendeuse, très sympathique,
commençait à désespérer lorsque Nicolas désigna
du doigt un déshabillé qu'il avait tout de suite vu
en entrant, dans la vitrine.

– Et ça, vous n'aimez pas? demanda-t-il d'un
air innocent.

– Ce n'est pas une chemise de nuit, objecta-t-
elle. C'est un... un...

– Qui vous empêche d'en faire une chemise de
nuit, Caris?

Les yeux de Willa s'agrandirent et prirent un
étrange éclat de nuit noire. Nicolas y vit un clair

de lune sur une eau profonde, une pudeur de jeune fille qui masquait un désir de femme. Lui aussi il regretta d'être allé si loin. Ensemble, ils décidèrent que tout cela n'était qu'un jeu.

– Écoutez, professeur, le tailleur, à la limite, je veux bien le mettre pour dormir, mais ce... ce truc-là, jamais.

Elle se tourna vers la vendeuse qui comprit la situation et présenta un modèle démodé. C'était une chemise de nuit longue, ras du cou, avec des manches à soufflets et des petits boutons de haut en bas, le tout en bleu lavande.

– C'est exactement ce qu'il nous fallait, s'amusa Willa avec une moue complice à l'intention de la vendeuse.

Nicolas ne dit rien et paya. Il trouvait le vêtement de nuit bien plus affriolant que le déshabillé noir dans lequel il avait d'abord imaginé Willa. Déjà, il rêvait de déboutonner un à un tous ces tentants boutons de lavande.

Le temps virait à l'orage. Le vent s'était levé. L'océan bleu marine s'incrustait çà et là de flaques d'émeraude ou de cornaline. Les cormorans s'affolaient dans le ciel parcouru d'immenses traînées sombres. La Lancia filait sur la route du littoral, libre comme l'air, petite tache écarlate perdue entre ciel et mer.

Ils avaient déjeuné à Solvang, au bord d'une plage déserte, dans un petit restaurant danois qui leur avait donné l'illusion d'être perdus au bout du monde, loin, très loin de Los Angeles et de sa vie trépidante. Puis ils avaient repris la route en direction de San Simeon.

– Où m'emmenez-vous, maintenant, professeur? demanda Willa qui mâchait un caramel au lait.

Nicolas venait de repérer d'étranges taches de couleur dans le ciel, si lointaines encore qu'il crut avoir rêvé.

– Là-bas, dit-il en indiquant du doigt l'étrange phénomène coloré.

– Oh! s'exclama Willa. Qu'est-ce que ça peut être?

– Je ne sais pas. On dirait..., on dirait...

– Des cerfs-volants, professeur! Des dizaines et des dizaines de cerfs-volants de toutes les couleurs.

Et il y en avait en effet de toutes les formes et de toutes les tailles qui dansaient avec les nuages ou flirtaient avec le vent comme d'immenses papillons de lumière. Ils remplaçaient le soleil sur le gris du ciel hivernal.

Dix minutes plus tard, Nicolas et Willa entraient bras dessus, bras dessous dans une petite maison de bois blanche, plantée sur la plage comme une cabine de bain. A l'intérieur, derrière un comptoir en acajou, une femme entre deux âges lisait le journal à travers de petites lunettes rondes de grand-mère. Elle les accueillit comme s'ils étaient ses propres enfants.

Willa jubilait comme une petite fille le soir de

93

Noël. Deux de ses rêves allaient se réaliser le même jour. Il y avait d'abord eu le pull marin « comme dans les films muets » et maintenant, tous ces grands oiseaux de papier dont elle avait rêvé quelquefois sans les avoir jamais vus dans la vie réelle.

– Ne vous en faites pas, mademoiselle, sourit la dame en lui tapotant l'épaule. Kenny va vous apprendre. Vous le voyez, là-bas, sur la plage? Il fabrique les cerfs-volants lui-même. C'est sa vie, sa façon de mettre un peu de beauté sur cette terre. Il dit qu'il y aurait bien moins d'horreurs et de guerres en ce monde si les gens...

– ... faisaient voler un cerf-volant de temps en temps? acheva Willa.

– C'est ça, mon petit, acquiesça la dame. Choisissez-en un chacun. Kenny vous montrera comment vous en servir.

Et elle se replongea dans son journal avec passion. Nicolas choisit un grand papillon mauve et rouge pour Willa qui lui trouva une sorte de dauphin jaune, orange et vert à nageoires blanches. Ils gagnèrent ensuite la plage où Kenny jouait avec un magnifique cerf-volant rose pâle. C'était un petit bonhomme à crinière de feu et barbe rousse qui faisait plaisir à voir. Il n'avait d'yeux que pour son oiseau de papier qui découvrait l'étendue considérable du ciel et semblait guetter de mystérieux signaux venus d'une autre planète. Willa eut aussi l'impression que le cerf-volant éclatait de rire dans les nuages, qu'il défiait de sa délicate armature de rose la puissance colossale de l'orage qui se rapprochait.

– Messieurs-dames! sourit Kenny. Le hasard a bien fait de vous amener par ici. Je n'ai pas eu beaucoup de clients, aujourd'hui.

Willa trouva qu'il rayonnait. Ses grands yeux verts lui donnaient un visage sans âge et l'air de se moquer des choses sérieuses. Nicolas se contenta de lui serrer chaleureusement la main.

– Mon petit doigt me dit que vous avez envie d'apprendre à faire voler un cerf-volant, je me trompe? Alors, vous tombez bien. Commencez par dérouler les ficelles pendant que je m'occupe de mademoiselle, sourit-il en désignant du menton le grand oiseau rose qui volait au-dessus d'eux?

– Mademoiselle? l'interrogea Willa, surprise.

– Vous savez, reprit Kenny après avoir attaché le câble du cerf-volant autour d'un mât, ils ont tous leur personnalité. Et puis c'est comme partout ailleurs, il y a des filles et des garçons, des jeunes et des vieux, des beaux et des moins beaux. Tout le charme de l'existence, quoi! Alors, premièrement, se mettre en face du vent... Allez-y, faites-le. Deuxièmement lancer délicatement le cerf-volant comme on le ferait avec un avion en papier. Vous avez bien dû faire ça en classe, non?

Willa suivit à la lettre les instructions de Kenny. Le grand papillon mauve s'ébattit d'abord dans un joyeux froissement d'ailes puis monta, monta jusqu'aux remparts du ciel.

– Ça n'est pas dangereux? demanda-t-elle. J'ai toujours entendu dire qu'il ne fallait pas jouer avec un cerf-volant quand il y a de l'orage.

– Ne vous en faites pas, ma petite dame, s'amusa Kenny. C'est des gens qui n'aimaient pas la jeunesse qui vous ont dit ça, des gens qui ne supportaient pas de voir les autres prendre du bon temps. Au contraire, vous savez, ils adorent l'orage, mes oiseaux... Ils adorent le danger. Vous savez pourquoi? Parce qu'ils n'ont pas peur de la mort. Regardez votre papillon. Il trouve ça magnifique, ces nuages. Ah! ce qu'il est beau, regardez-moi ça.

Willa regarda. Son cœur battait la chamade comme si quelque chose de miraculeux allait arriver. Or, ce fut ce qui arriva. Le vent emporta le cerf-volant au-delà des nuages où il disparut comme par magie.

– Il voit le soleil, hurla-t-elle, il voit le soleil! Regardez, Nicolas, regardez...

La corde du papillon vibrait de vie entre les doigts de Willa émerveillée. Elle comprit aussitôt pourquoi Kenny parlait de la personnalité de ses petits chefs-d'œuvre. Une fois dans leur élément, là-haut, confrontés avec l'immensité du ciel, ils semblaient, comme tous les êtres, ne plus aspirer qu'à une seule chose: leur liberté.

– Il arrive qu'ils ne reviennent pas, sourit Kenny qui comprenait l'émotion de son élève.

La gorge serrée, Willa se retourna vers Nicolas mais lui aussi avait lancé son cerf-volant. Lui aussi il songeait à la liberté, au bonheur de se laisser aller au gré du vent comme il le faisait depuis la veille avec Willa.

Le papillon mauve réapparut soudain et vint s'ébattre à côté du dauphin multicolore, comme s'il voulait lui dire quelque chose à l'oreille. Kenny les incita ensuite à ramener sur terre les oiseaux de papier. Une fois au sol, ils perdirent toute magie.

— Alors? jubila Kenny. Vous ne trouvez pas ça du tonnerre? Vous ne vous êtes pas sentis libres comme l'air, vous aussi? Est-ce que vos petits problèmes ne se sont pas envolés comme par enchantement?

Willa et Nicolas firent signe que oui.

— Je l'ai toujours dit, reprit Kenny. Si seulement les gens s'amusaient de temps en temps avec un cerf-volant, ça leur remettrait la tête à l'endroit, les idées en place et les pieds sur terre! Quand je pense que tout le monde se plaint pour un oui ou pour un non alors que les choses sont bêtes comme chou, simples comme bonjour... Remarquez, des problèmes, vous ne devez pas encore avoir eu l'idée de vous en créer, vous deux! Vous venez de vous marier, non?

Prise de court, Willa ouvrit la bouche pour nier mais Nicolas la devança d'une longueur :

— On est en voyage de noces, dit-il, mais comment vous en êtes-vous aperçu?

— Oh, ça se voit dans le regard, ce genre de choses, sourit Kenny. J'ignore pourquoi je me suis dit que vous étiez mariés mais ce qui crève les yeux, c'est que vous vous adorez, pas vrai? On sait qu'un homme et une femme sont amoureux rien qu'à la façon dont ils se regardent. Ça fait plaisir à voir, les gens sont tellement moroses, par les temps qui courent...

Nicolas éclata de rire.

– A la bonne heure! s'exclama Kenny. A propos, comment vous appelez-vous, monsieur?

– Nicolas et elle c'est Willa.

– Alors, écoutez-moi bien, Nicolas. Je sais que pour l'instant tout marche comme sur des roulettes, mais le jour où madame sera mal lunée, d'ici un an ou deux, quand vous aurez eu des jumeaux et qu'elle sera débordée de travail, ce jour-là, au lieu de vous dire que vous n'auriez jamais dû l'épouser, faites un petit effort : prenez-la par la taille et dites-lui : «Chérie! Si on allait faire voler un cerf-volant?» Vous verrez, rien qu'à l'idée de prendre un bain de ciel bleu, elle sera déjà aux anges. Quant à vous, Willa, le jour où Nicolas rentrera du bureau haineux parce qu'il aura eu son patron sur le dos toute la journée, le jour où il essaiera de vous rendre responsable de sa mauvaise humeur, alors n'hésitez pas, sortez votre papillon mauve du placard et dites : «Chéri, si on prenait des petites vacances?» Et vous verrez, il retombera fou amoureux de vous à l'instant même. Ce n'est pas plus compliqué que ça d'être heureux, mes enfants!

– Je n'oublierai pas vos conseils, Kenny, sourit Willa.

– Le fait est qu'ils m'ont l'air excellents, renchérit Nicolas.

– Pour sûr, monsieur. On n'est jamais assez bourré de conseils pour garder la femme qu'on aime, croyez-en un vieux loup de mer.

Il y eut un silence chargé d'électricité. Nicolas voulut payer les cerfs-volants mais Kenny refusa catégoriquement.

– Laissez-moi seulement m'associer à votre bonheur et j'aurai gagné ma journée. Il y a des choses qui n'ont pas de prix, m'sieurs-dames!

Willa l'embrassa sur ses joues bien remplies.

– Ah, c'est beau la jeunesse! s'exclama-t-il encore. Une dernière chose : je connais un endroit épatant pour les cerfs-volants. A une dizaine de kilomètres de San Simeon, vous verrez un grand rocher blanc, au bord de la route. Un peu plus loin, il y a un chemin qui débouche sur une des plus belles criques du Pacifique. Le vent est idéal, et puis, en cette saison, vous serez vraiment seuls au monde, là-bas.

– Au revoir, Kenny, lança finalement Nicolas. Et merci de vos conseils.

– Au revoir, monsieur Nicolas. Au revoir, Willa.

Et ils regagnèrent la route, de l'autre côté de la plage déserte.

– Il a l'air heureux, cet homme, vous ne trouvez pas, professeur?

– Si, si. Peut-être un peu fou, aussi. Les choses ne sont pas toujours si simples. Remarquez, qui ne serait pas heureux, à sa place? Il aime ce qu'il fait. Il y croit. Il est en conversation permanente avec les éléments. Que demander de plus?

— Je connais des tas de gens qui trouveraient ça infernal de vivre dans cette maison perdue entre ciel et mer. Mais vous, professeur, vous ne croyez pas à ce que vous faites?

Nicolas demeura silencieux un moment.

— A vrai dire, je ne me suis jamais posé la question, Caris, mais je suppose que si. J'aime enseigner.

Je ne suis pas comme vous, assena Willa sans l'ombre d'une hésitation. J'ai toujours cru à ce que je faisais. Toujours...

Il y eut un nouveau silence, lourd de sous-entendus.

— C'est drôle, reprit-elle, il nous a pris pour de jeunes mariés...

Elle n'eut pas le cœur de regarder Nicolas dans les yeux. Du côté de chez Kenny, les cerfs-volants quittèrent un à un le morceau de ciel qui couronnait la petite maison de bois blanche. La nuit n'allait pas tarder à tomber et l'orage qui n'en finissait pas de se rapprocher obscurcissait tout peu à peu.

— Oui, c'est drôle, répondit seulement Nicolas.

Lui aussi il évita le regard de Willa de peur d'y lire la vérité. La Lancia démarra en trombe comme pour briser le rêve de la plage aux cerfs-volants. En vain car les paroles de Kenny s'étaient imprimées à jamais dans leur mémoire.

8

SAN Simeon était un village perdu au bord du
Pacifique. Il se limitait à un bouquet de villas de
bois peintes, regroupées autour d'un bureau de
poste et d'une épicerie. Pendant que Willa appelait ses grands-parents d'une cabine publique,
Nicolas acheta du bon pain de campagne, du fro-
mage, une bouteille de vin et une grande couverture écossaise. Satisfaite de son dernier client de
la journée, l'épicière poussa le zèle jusqu'à leur
préparer les sandwiches elle-même. Ils reprirent
ensuite la route et n'eurent aucun mal à trouver le
rocher blanc décrit par Kenny. Nicolas gara la
Lancia sous un bosquet d'eucalyptus. Lorsqu'elle
ouvrit la portière, Willa reçut une rafale de vent
sablé en plein visage.

— Je ne suis pas sûre que ce soit le temps idéal
pour un pique-nique, professeur! déclara-t-elle
après avoir inspecté le ciel menaçant.

— Le temps est absolument épatant, Caris. Moi
qui ai toujours rêvé d'assister à un orage sur le
Pacifique! Et puis, d'après ce que nous a dit

Kenny, c'est un temps idéal pour les cerfs-volants. Ils vont être aux anges avec ces bourrasques.

Un chemin de craie escarpé menait à une splendide plage déserte. Willa ressentit une mystérieuse appréhension devant l'Océan en furie. Une tension montait qui les prit dans des tourbillons d'énergie marine. Nicolas se mit à courir sur le rivage. Ses moindres gestes révélaient une surabondance de force. Willa en frissonna. Elle sentit qu'il allait se passer quelque chose de merveilleux, quelque chose de terrifiant et d'extraordinaire. Soudain, elle eut envie de fuir devant l'inconnu mais elle se rappela les bonnes paroles de Kenny. Tout allait beaucoup mieux dès qu'on avait lancé son cerf-volant!

Nicolas ressentait comme elle l'irrésistible appel des éléments déchaînés. Il abandonna brutalement le sac de provisions et la couverture sur le sable. Sans un mot, ils déplièrent leurs cerfs-volants multicolores et les jetèrent à l'assaut du ciel. Les oiseaux de papier s'élancèrent vers l'azur invisible, comme s'ils cherchaient quelqu'un par-delà l'épaisseur obscure des nuages, comme s'ils avaient là-haut un rendez-vous d'amour.

Impatiente, Willa attendait que tout s'apaise en elle mais ce fut le contraire qui se produisit. C'était comme si son propre cœur avait pris la place du grand papillon mauve. Abandonné aux forces de l'orage, il cherchait désespérément un courant favorable dans l'infini du ciel. Ballottée

par un ouragan d'émotions contradictoires, Willa
ne put retenir un cri lorsqu'une rafale de pluie la
gifla.

Nicolas éclata de rire. Il était beau comme un
dieu au milieu du déluge qui commençait. Willa
en demeura bouche bée.

– On ne va quand même pas rester là à se faire
tremper comme des soupes, dit-elle.

– Moi qui vous prenais pour une aventurière,
Caris! Vous ne vous rendez pas compte? C'est
l'apocalypse! Nous allons assister à l'apocalypse.

Et son rire redoubla dans le tumulte environ-
nant. Il avait quelque chose de titanesqsue et se
jouait de la terreur des pauvres gens tapis dans
leurs maisons confortables. Nicolas se sentait
revivre au bord de cette mer en furie. Là la présence de Willa décuplait ses sensations.

Willa regarda l'Océan. Elle n'avait jamais rien
vu d'aussi beau. On avait l'impression d'assister à
la création du monde. Un chaos indescriptible
fondait ciel et mer lorsque le premier coup de
tonnerre éclata. Des vagues violettes chargées
d'écume s'écrasèrent bientôt sur la plage dans un
fracas épouvantable. Se dévorant l'un l'autre, les
nuages allaient du gris anthracite au mauve et
filaient très bas à des vitesses hallucinantes. Willa
était terrorisée. En même temps, elle éprouvait
une joie étrange, presque sauvage.

La pluie redoubla alors d'intensité. C'était une
pluie froide et brutale. Willa sentit la poigne de
fer de Nicolas se refermer sur son poignet.

– Venez, dit-il, il faut nous mettre à l'abri. L'orage va se déchaîner.

– Et les cerfs-volants?

– On n'a pas le temps de les ramener. Lâchons-les...

Un éclair leur brûla les yeux. Un puissant coup de tonnerre suivit qui les fit chanceler tous les deux.

– On ne va pas les abandonner comme ça, objecta-t-elle. C'est trop triste.

Nicolas lâcha son dauphin multicolore qui s'envola sans se faire prier vers le gros de l'orage.

– Lâchez le vôtre, Willa. Rendez-lui la liberté!

Des trombes empêchèrent la jeune femme de répondre. Nicolas la prit dans ses bras pour la protéger.

– On retournera chez Kenny demain, je vous le promets, dit-il avec douceur.

Et Willa abandonna le papillon mauve à son étrange destin. Le cerf-volant virevolta un moment sous leurs yeux fascinés et se perdit dans le gouffre noirâtre du ciel.

– Ce n'est peut-être pas très prudent de s'abriter dans la voiture, dit Nicolas. Vous voyez cette petite maison, là-bas? Allons-y, elle semble abandonnée.

– C'est une école, Nicolas! s'exclama Willa. Une école vide.

Il la serra contre lui et couvrit ses cheveux noirs avec son blouson de cuir mouillé. Ensemble, ils coururent de la plage déserte vers la falaise de craie blanche. Lorsqu'ils atteignirent l'école, Nicolas défonça la porte d'entrée à coups d'épaules. Il avait l'air d'un boucanier dans la tempête, d'un roi des mers sur le pont de son vaisseau amiral. La porte vermoulue céda presque aussitôt.

– Moi qui n'ai jamais cru aux miracles! lança-t-il avec un sourire à tomber à la renverse. Si vous voulez bien vous donner la peine d'entrer, princesse!

La porte se referma brutalement sur eux. Ils furent plongés dans des ténèbres réconfortantes. Un long moment, ils demeurèrent immobiles, écoutant le bruit de leur respiration. Dehors, la tempête faisait rage. Ils pouvaient entendre le tonnerre ou apercevoir le bleu métallique d'un éclair, de l'autre côté des volets presque hermétiquement clos. Mais tout cela faisait partie d'un autre monde, d'un monde qui leur était maintenant étranger, qui s'éloignait d'eux à chaque seconde. Comme des plongeurs ayant quitté la surface des choses pour s'immerger dans les profondeurs de l'océan, ils prirent peu à peu conscience de la tiédeur des lieux et de l'obscurité pleine d'ombres. Elle les incitait à tout oublier du passé, à s'absorber dans une nouvelle dimension d'eux-mêmes, comme s'ils venaient de sombrer dans le sommeil.

Lorsqu'ils se touchèrent, ce fut un choc, un choc bienheureux. Willa n'eut plus peur de la force considérable qu'elle sentait vibrer en Nicolas; elle comprit que cette force brûlait aussi en elle. Et lorsqu'il l'embrassa, ce fut avec toute la passion d'un mystérieux élan qui les portait l'un vers l'autre.

Il n'y avait aucune hésitation dans leurs gestes, aucune gêne. Le déchaînement des éléments, au-dehors, les avait conduits dans ce havre tiède et silencieux. Et maintenant qu'autour d'eux tout était obscur et immobile, l'orage éclata au plus profond d'eux-mêmes, plus violent qu'à l'extérieur. Ils auraient pu se fuir, refuser la sublime confrontation de l'homme et de la femme, mais ni elle ni lui n'opposèrent la moindre résistance. Comme les deux cerfs-volants à qui ils avaient offert la liberté, Nicolas et Willa étaient maintenant libres de se laisser porter par le vent, d'aller là où l'orage déciderait de les emporter.

Il les emporta bien au-delà des nuages, en plein soleil, sur la terre bénie des amoureux. Leurs baisers ne finissaient que lorsqu'ils étaient à bout de souffle. Alors ils riaient de leur gloutonnerie, de leurs lèvres affamées. Leurs corps cherchaient une joie inconnue, un ciel d'azur insouciant de l'orage, l'autre côté des nuages. C'était un long voyage, qui demandait du temps, qui demandait même d'oublier le temps. Or ils avaient toute la nuit devant eux.

Et toute la nuit, Nicolas berça Willa entre ses bras. Lorsqu'elle avait tendance à s'y assoupir, il savait lui rappeler qu'ils avaient entrepris un long et merveilleux voyage. Ils s'arrêtèrent souvent en chemin, comme entre deux coups de tonnerre, mais la foudre du désir roulait en eux, implacable, insatiable. Elle les tenait en son pouvoir et ce pouvoir était immense.

Leurs lèvres se cherchaient dans l'obscurité phosphorescente. Leurs bouches avaient le goût salé de la pluie. Nicolas adorait le subtil parfum des cheveux de Willa, parfum de soie et de topaze qu'il sentait partout ailleurs sur son corps délicieux.

Ils ne parlaient pas. Chacun savait ce que voulait l'autre et le voulait aussi.

Au fil des heures, ils recommençaient les mêmes jeux. Willa aimait le sentir, immense au-dessus d'elle. Quelquefois, elle l'obligeait à rouler sur le côté et posait la tête au creux de son torse, entre ses pectoraux, les lèvres dans les poils bruns dont elle aimait le gazouillis du papillon contre ses joues. Elle caressait le va-et-vient puissant des muscles sous la peau brûlante. L'oreille collée contre le torse masculin, elle écoutait battre ce cœur qui s'apaisait.

Au début de la nuit, Nicolas s'en était voulu de sa brutalité, d'avoir pris plus qu'il ne donnait. Mais le désir d'une aube unique lui avait appris à mieux connaître Willa, à prévoir ses moindres désirs, des plus tendres aux plus secrets, des plus simples aux plus fous. D'emblée, il avait su que rien ne l'arrêterait sinon le petit jour.

Il aimait ses petits seins blancs, leur grâce, leur douceur insensée. Au moindre baiser, elle savait se métamorphoser entre ses bras, tantôt lionne et tantôt fleur. S'il croyait être en elle comme un roseau dans les bras du vent, elle savait le griffer, s'accrocher à ses biceps pour mériter un baiser voluptueux.

Sur la couverture écossaise jetée à même le sol, leurs doigts se nouaient de longs moments. Ils adoraient retenir leur souffle pour mieux entendre la rumeur lointaine du Pacifique, pour s'imprégner de son énergie inaltérable. Mystérieusement, ce bruit les réchauffait. Le désir remontait comme un serpent dans leur colonne vertébrale. Une fois de plus, leurs bouches se cherchaient et se trouvaient aussitôt. Et tout recommençait, encore et encore, comme s'ils n'avaient jamais rien fait d'autre que s'aimer depuis la nuit des temps.

Dans la nuit noire, Willa savourait la joie d'être en paix avec soi-même et le monde entier. Elle avait abandonné tous les petits personnages qu'elle se plaisait à jouer dans la vie ordinaire. L'étudiante avait disparu, la zélée patriote aussi. A peine si elle se rappelait d'être jeune et jolie, têtue et sensible, insolente et fragile. Elle avait aussi oublié les masques de Nicolas. Celui qui la tenait entre ses bras n'était plus le Pr Francia, ni l'arrogant play-boy dont se gargarisait la presse à scandale, pas même le dernier Grand-Duc de Brasovie.

Non, c'était tout simplement un homme. Entre

ses bras, elle découvrait la joie d'être aimée en une étreinte que rien n'empêchait de durer toujours; la joie simple et mystérieuse d'être une femme, à part entière.

L'orage était terminé. Il ne pleuvait même plus. A peine si l'on se souvenait de la tempête de la veille. L'Océan miroitait sous le pâle soleil de février. Des voiliers partaient en promenade sur la mer pour longtemps apaisée.

Nicolas se réveilla le premier. Willa dormait entre ses bras, blottie dans un cocon de chaleur bienfaisante. Tous les bruits du matin la ramenaient peu à peu dans l'école abandonnée: le chant des oiseaux, le bruit du vent dans les arbres, les sirènes des bateaux de pêche qui sortaient au large.

– Willa ?

Le matin! Cela signifiait le soleil, l'implacable réalité des faits, les souvenirs, les erreurs...

Son cœur se serra. Qu'allait-elle découvrir lorsqu'elle lèverait les yeux sur le beau visage de Nicolas? La nuit passée, il l'avait couverte de baisers et de mots d'amour. Or la nuit, justement, était passée.

– Willa ?

Il lui caressa les cheveux un moment. Apaisée, elle osa lever les yeux vers lui. Alors, voyant son mâle sourire dans un rayon de soleil, elle sut qu'elle était amoureuse. Amoureuse à en mourir.

9

LA journée fut merveilleuse, bien plus calme et plus ensoleillée que la veille. Ils louèrent d'abord une chambre dans une auberge du bord de mer, pleine de meubles anciens et de bouquets de fleurs, où la patronne les accueillit comme de jeunes mariés. Une longue promenade sur la plage les ramena jusqu'à la maison blanche de Kenny où Nicolas choisit deux nouveaux cerfs-volants. Le gaillard roux ne fit que les saluer lorsqu'il les croisa sur la grève, mais son sourire radieux en disait plus long que toutes les jolies phrases.

Au fil des heures, la douceur du temps pénétrait aussi leur cœur. Nicolas sentait combien la présence de Willa lui faisait du bien. Quelque chose en lui refusait pourtant de croire à la chance qu'elle représentait. S'émerveiller de la magie ambiante ne lui suffisait pas. Il voulait aussi savoir qui était le magicien, et surtout, comment il avait réussi en si peu de temps son prodigieux tour de passe-passe. Ses « trucs » l'inquié-

110

taient. Plus il regardait évoluer Willa dans le tailleur rubis acheté la veille et plus il se sentait amoureux. Amoureux! Il n'y avait certes pas d'autre mot mais ce mot le gênait. De son côté, Willa avait du mal à admettre d'avoir passé la nuit dans les bras du seul ennemi qu'elle avait au monde. Plus la journée avançait et plus ils songeaient au retour. Paradoxalement, les gens les recevaient partout à bras ouverts, comme si leur présence était un honneur.

La nuit précédente, tout avait été simple et beau, essentiel comme les éléments déchaînés autour d'eux et en eux : la terre et le vent, le feu et l'eau, le masculin et le féminin. Nicolas et Willa comprenaient maintenant qu'entre un homme et une femme les choses n'étaient jamais vraiment simples, ou du moins, qu'il fallait beaucoup d'efforts et de volonté pour demeurer dans la magie mystérieuse d'une rencontre. La vie leur avait fait un merveilleux cadeau. Elle se chargeait maintenant de leur rappeler, à chaque pas, que les orages les plus dangereux étaient toujours invisibles, enfouis au cœur des habitudes, de l'orgueil et de la peur de l'inconnu.

Entre eux, les choses commencèrent à déraper vers le soir. Ils dînèrent dans un restaurant de luxe, ce qui était une façon comme une autre de remettre une certaine distance entre eux. Willa le comprit. Elle savait que les vrais amoureux choisissent toujours des endroits écartés du monde, comme si leur bonheur se devait de rester secret.

Le restaurant choisi par Nicolas était le rendez-vous de tous ceux qui voulaient se montrer, même si la cuisine exaltait au contraire les mets d'une extrême rareté. Willa vécut à plein ce paradoxe. Dans son tailleur rubis, elle se sentit soudain ridicule au milieu d'une avalanche de luxe creux dont Nicolas lui parut tout à coup faire partie. L'homme qui l'accompagnait et qu'elle regardait avec adoration était incapable d'éprouver un vrai sentiment, elle en eut soudain l'absolue certitude. Ce n'était peut-être même qu'un play-boy sans âme...

L'après-midi, sous le soleil, ils s'étaient racontés des souvenirs d'enfance; ils avaient parlé en leur âme et conscience. Avec la perspective du retour, les conversations devinrent plus banales. Lorsqu'on leur servit un somptueux gâteau au chocolat blanc, Nicolas avait repris son ton de gentillesse naturelle. Le pire était qu'ils avaient tous les deux conscience de ces changements.

– Les Américains ont toujours eu un rapport malsain avec la royauté, expliquait-il, sans doute depuis qu'ils ont essayé de faire de George Washington un roi. Comme Washington ne leur a pas accordé ce plaisir, ils sont allés voir ce qui se passait à l'étranger. De Paris, ils ont rapporté le cinéma et inventé Hollywood : une machine à fabriquer des rois et des reines de pacotille. Les acteurs – et même à l'occasion un homme politique ou un sportif – sont supposés ne ressembler en rien au commun des mortels. On les hisse sur un piédestal, on les isole, jusqu'au jour où la presse découvre qu'ils sont comme tout le monde. Pour eux, c'est la fin. Ils ont déçu; on les oublie. On crée un nouveau roi, une nouvelle reine qui ne régneront pas plus que leurs prédécesseurs. Les Américains sont des enfants! Le pire, c'est que ces enfants s'amusent avec cette planète comme si c'était une boule de pétanque...

Nicolas avait pourtant parlé comme un roi, avec un dédain amusé, une froide supériorité. Jugeait-il, du haut de son nuage, la basse-cour dérisoire des hommes? Willa en fut choquée. Or elle ignorait pourquoi Nicolas se comportait ainsi. Confronté à ses contradictions, au désir de prendre Willa dans ses bras en même temps qu'à sa crainte de tomber amoureux, il souffrait. Sans le savoir, il cherchait désespérément à provoquer une conversation anodine, pour ne pas montrer la fragilité de son âme. Malheureusement pour lui, Willa n'avait rien à dire sur les Américains et les rois. Elle ne voulait pas se battre avec lui, même avec des mots, car elle savait d'instinct que l'amour en sortirait perdant. D'un autre côté, elle n'avait pas envie de lui pardonner d'être redevenu le Pr Francia. Mais ce refus de pardonner équivalait à un refus de comprendre, d'écouter les peurs et les désirs de Nicolas. Ces refus signaient la fragilité de leur amour naissant; il prouvait aussi qu'ils avaient encore toutes les cartes entre les mains.

Il était tard lorsqu'ils rentrèrent à l'hôtel.

113

Comme ils étaient fatigués de leurs propres ruses, ils restèrent silencieux pendant tout le trajet. Nicolas avait mis la radio. Ils écoutaient une musique de Beethoven, maline, moqueuse, qui leur remit les pieds sur terre et le cœur dans le bon sens.

Nicolas gara la Lancia juste devant l'Océan puis il coupa le contact. La musique et les lumières du tableau de bord s'évanouirent comme par enchantement. Ils restèrent sans rien dire à regarder le Pacifique. La lune énorme était basse et touchait l'horizon. Un écran magique de lumière empêchait le ciel de se refléter dans l'eau.

– Quand j'étais petite, dit doucement Willa, je croyais que la lune faisait partie du paradis et que mes parents y vivaient pour toujours.

– Quel âge avais-tu lorsqu'ils sont morts?

– Quatre ans. Ils se sont fait tuer par des policiers, au cours d'une manifestation. Eux aussi, ils préféraient les rois.

Nicolas sentit sa gorge se serrer.

– Je me souviens un peu de ma mère, reprit Willa, surtout du noir de ses cheveux.

Nicolas frémit et se tourna vers sa compagne. Elle avait quelque chose d'irréel dans l'obscurité bleutée du clair de lune. Elle était aussi belle qu'un songe de bonheur rempli de bon soleil. Alors, il comprit soudain pourquoi sa présence le faisait souffrir. Il venait de comprendre combien toute sa vie passée sans amour avait été vide et inutile. Le cauchemar du doute cessa pour lui à l'instant même. S'il avait pu lui expliquer ce qu'il ressentait, il l'aurait fait. Pour une raison bien précise, ce n'était pas encore possible.

– Rentrons, dit-il seulement d'une voix frustrée.

Devant la porte de leur chambre, Willa se tourna timidement vers lui. Leurs yeux brillaient encore d'un mystérieux éclat lunaire.

– Nicolas, dit-elle avec tristesse et gravité, tu ne crois en rien...

Il la pénétra d'un regard très doux, puis l'embrassa.

– Je ne crois qu'aux baisers, murmura-t-il contre les lèvres de Willa. Surtout à cette heure-ci! Allez, viens, puisqu'on nous prend partout pour de jeunes mariés...

Et la saisissant par la taille, il la souleva de terre comme Clark Gable sur l'affiche d'*Autant en emporte le vent*. Deux rires libérateurs troublèrent le repos délicieux de l'auberge endormie. Pour Nicolas et Willa, la nuit ne faisait que commencer.

Le lendemain matin, réconciliés et plus amoureux que jamais, ils reprirent la route de Los Angeles. A Bodegabay, ils déjeunèrent dans une cafétéria située sur le bord de mer. Il faisait un temps magnifique. Les voiliers étaient de sortie. Des jeunes gens surfaient à qui mieux mieux sur les vagues écumantes. Des cerfs-volants multicolores s'ébattaient joyeusement sur le bleu céruléen du ciel.

Nicolas et Willa avaient commandé des œufs au

bacon et du jus d'orange. La boutique vendait aussi des journaux et la serveuse leur proposa l'édition dominicale du *Times*. Willa repoussa le journal d'un air dégoûté, comme si elle avait voulu tenir la réalité à l'écart, au moins jusqu'au lendemain. Nicolas, qui n'avait pas remarqué son geste, s'empara du journal lorsqu'il eut fini son déjeuner.

– Voyons un peu ce qui s'est passé dans le monde depuis vendredi, sourit-il avec un clin d'œil complice. Depuis que nous allons au gré du vent...

Nicolas ouvrit le quotidien au hasard, le plia en deux et se mit à lire.

– A ta place, je me contenterais des bandes dessinées, sourit Willa.

– Quand tu me parles sur ce ton, s'amusa-t-il, c'est que tu vas me faire une scène. Je me trompe?

Pour toute réponse, Willa lui arracha le *Times* des mains, l'ouvrit à la page deux et, après avoir écarté leurs assiettes vides, posa le journal entre eux, sur la table.

– Ah, je vois..., dit Nicolas.

Une superbe photographie en couleurs de la couronne occupait une pleine page. Le titre de l'article qui suivait les narguait au moins autant que la photo : « *La couronne royale de Brasovie rentre chez elle.* »

Tendrement, Nicolas prit les mains de Willa entre les siennes.

116

– N'y pense plus, dit-il. C'est du passé. Ce ne sont plus que de mauvais souvenirs.

Willa baissa les yeux. Comme c'était symbolique, songea-t-elle, leurs mains qui se tenaient sur l'image triomphante de la couronne, cette image qui les séparait aussi sûrement qu'un rideau de fer.

– Ça a l'air si simple pour toi! dit-elle. On dirait que ça t'est complètement égal.

– Willa, je...

La jeune femme retira sa main et regarda du côté de la mer.

– Je sais que tu me prends pour une folle, pour une anarchiste, une tête brûlée, une irresponsable et tout le reste, dit-elle d'une voix calme et triste, mais je n'arriverai jamais à me faire à l'idée que tu m'as empêchée de faire ça. Tu ne te rends pas compte de ce que ça signifiait pour moi. Nicolas, je suis peut-être folle, mais je suis au moins capable de m'enthousiasmer pour quelque chose, moi! Et malheureusement pour toi, j'ai un cœur, aussi. On est trop différents, tu sais. Il vaut mieux arrêter tout de suite. On ne pourra pas s'entendre. Je crois qu'on ne se comprendra jamais...

Et, sans crier gare, elle se leva, sortit du restaurant et courut vers la mer. Sachant que Nicolas la rattraperait de toute façon, elle s'arrêta sur la plage, au bord de l'eau. Il ralentit lorsqu'il la vit, en partie parce qu'il la sentait fragile et prête à tout, mais aussi parce qu'il avait peur de sa propre fragilité.

117

– Willa, murmura-t-il en la prenant par l'épaule, tu te souviens, au musée, tu m'avais demandé pourquoi je ne voulais pas que tu ailles en prison?

Willa renifla, s'essuya les yeux mais elle ne daigna pas lui accorder un regard.

– Tu m'avais répondu que tu ne savais pas pourquoi, dit-elle enfin.

– Oui, c'est vrai mais maintenant, je le sais. Je... m'intéresse beaucoup à toi, tu sais... Je... je t'aime, Willa.

Il attendit, seul et désarmé devant le silence. Willa se retourna, tout doucement. Le vent zébrait son visage de longues mèches noires comme de l'encre.

– Il n'y a que trois jours qu'on se connaît. Vendredi, tu me prenais pour une folle, pour une pauvre fille, pour une abrutie... et maintenant... tu dis que tu m'aimes? Ça ne tient pas debout. Non, ça ne tient pas debout...

– Combien de temps faut-il pour tomber amoureux, d'après toi? murmura Nicolas.

– ...

– Combien de temps faut-il, Willa? Dis-le...

– A peu près trois jours, admit-elle enfin.

Willa ferma les yeux pour retenir ses larmes. En vain. Elle émit un son étrange, moitié rire et moitié sanglot, puis elle porta une main affolée à ses lèvres. Nicolas s'était coulé tout contre elle. Elle sentait sa chaleur au creux des reins et sur son visage, le froid sans fin de l'Océan.

– Tu m'aimes? demanda-t-il d'une voix de jeune homme.

Willa acquiesça d'un signe de tête malheureux, mais lorsque Nicolas voulut l'embrasser, elle se déroba.

– Non! cria-t-elle comme si elle avait peur de lui.

– Je sais que tu m'aimes.

La voix de Nicolas trahissait une sorte de panique. Il se sentait comme un voyageur perdu dans le brouillard, comme s'il appelait au secours tout en sachant que personne ne pouvait l'entendre.

– Non, je ne t'aime pas. Je ne t'aime pas...

– Alors, rentrons...

Et lorsque la Lancia bondit comme un tigre en colère sur la route de Los Angeles, Willa ajouta :

– Je te rembourserai les vêtements.

Nicolas se contenta d'appuyer sur l'accélérateur. Un moment après, il alluma les phares. La nuit tombait sur le Pacifique.

– C'est moi, Momika! dit Willa avant d'entrer dans la cuisine où sa grand-mère épluchait tranquillement des carottes.

– Mina! Tu nous as manqué, tu sais! Alors, raconte, ma petite fille! Nous ne sommes pas allés voir la couronne : tu connais ton grand-père et ses principes! Mais si ça n'avait tenu qu'à moi! Allez, raconte! Comment est-elle? Est-ce qu'il y a eu beaucoup de monde?

Willa s'appuya à la table puis elle s'éclaircit la gorge.

— Je... je n'en sais rien, Momika. Je n'ai pas passé le week-end au musée. Je... je suis partie avec... un ami.

La grand-mère posa son couteau et s'assit.

— Ah, je vois, dit-elle. Avec celui qui t'a raccompagnée, l'autre soir?

— Oui.

— Et ça ne s'est pas bien passé?

— Si... si...

— Alors pourquoi pleures-tu, ma petite fille?

— Oh, Momika! Je crois que je suis amoureuse de lui.

— Et il se fiche pas mal de toi, c'est ça!

— Non, au contraire. Il m'adore...

— Et bien alors? Où est le problème, mon petit? Il est marié, peut-être? Ou bien il boit? C'est un criminel?

— Momika! Tu lis trop de romans à l'eau de rose, toi...

— Ta-ta-ta, je sais ce que je dis. Alors, qu'est-ce qui cloche? Il n'est pas beau, il n'est pas riche...

— Si..., si..., mais il y a des problèmes.

— Des problèmes? Écoute, ma chérie, si vous vous aimez, s'il est beau, riche, qu'il n'est pas marié et qu'il ne boit pas, c'est que tu es en train de te monter la tête, de faire la difficile ou de jouer la sainte nitouche!

— C'est... un homme à femmes, dit Willa d'une petite voix. Je suis sûre qu'il est incapable de s'investir dans quelque chose de solide, d'aimer vraiment. Il ne croit en rien. Il... Enfin, je ne veux pas souffrir, en tout cas...

— Un homme à femmes? A la bonne heure, ma petite fille, ça prouve que c'est un homme, un vrai! Allez, va te laver les mains, ton grand-père va rentrer d'une minute à l'autre. Je ne veux pas qu'il te voie dans cet état. Il ne comprendrait pas que tu aies fait la bringue tout le week-end; il est bien trop vieux jeu.

— Momika! Je te dis que c'est un homme, et à femmes, et tu trouves ça normal, tu trouves que c'est...?

— Tu crois que ton grand-père n'était pas un homme à femmes? sourit tendrement la grand-mère. Tu crois que nous sommes nés mariés, lui et moi? J'ai eu un drôle de succès, dans le temps, tu sais, et lui, c'était pareil. Je n'avais pas du tout envie de me marier quand je l'ai connu, et lui non plus, je peux te le dire. Eh bien tu vois, ça ne nous empêche pas de nous aimer depuis plus de cinquante ans.

— Momika!

— Ma petite fille, je crois que tu n'as pas encore très bien compris que le rôle des femmes est de faire oublier aux hommes leurs mauvais penchants: la guerre, les femmes, la violence et tout le reste. Tiens, ton grand-père espérait qu'il y aurait un hold-up, qu'on volerait la couronne mais c'est bien une idée d'homme, ça! Le monde a changé, ma petite fille, les hommes aussi. Ce que

121

je crois, c'est que les femmes feraient bien de changer aussi et de recommencer à s'occuper des roses et des enfants, sinon c'est elles qui la déclencheront, la troisième guerre mondiale! Et puis tu sais, quand un homme est vraiment amoureux, il peut changer du jour au lendemain. Du jour au lendemain! Crois-en mon expérience, ma petite fille. Du jour au lendemain...

10

– **B**ONJOUR, père! fit Nicolas avec émotion.

– Nicolas, mon fils! Moi qui pensais justement à toi! s'exclama le vieil homme d'une voix pressante.

Nicolas avait tout de suite remarqué les bouteilles d'oxygène accrochées derrière le fauteuil du malade. Pour lui éviter de se lever, Nicolas traversa rapidement le patio fleuri de roses et il prit la main osseuse de son père dans la sienne.

– Tu as l'air en pleine forme! s'exclama-t-il ensuite.

Et c'était vrai. Les yeux du malade pétillaient de vie. Il avait même bonne mine. Seul le bruit sec et laborieux de sa respiration trahissait une mauvaise condition physique.

– Mais oui, mais oui, sourit le vieil homme. Ta mère et Sophia me couvent comme des poules! Et je ne te dis rien de Ramsey! Je ne peux pas faire un geste sans l'avoir dans les pattes. Mais parlons un peu de toi, plutôt. Quoi de neuf? Note que j'apprécie beaucoup de lire un peu moins ton

123

nom dans les journaux, ces temps-ci. Serais-tu las du genre de filles avec qui tu faisais la une de *Climat* ou commencerais-tu à comprendre ce qu'est la discrétion, après toutes ces années?

Nicolas soupira sans rien cacher de son exaspération.

– Et toi, père, quand commenceras-tu à comprendre ce qu'est la discrétion? sourit-il avec douceur.

Le vieil homme toussa puis indiqua du doigt un fauteuil de cuir aux accoudoirs protégés de dentelle morave.

– Pardonne-moi, Nicolas. Je ne changerai plus, à mon âge, malheureusement.

Nicolas éclata de rire.

– Insinuerais-tu qu'au mien, il est encore possible de faire quelque chose?

– Pas du tout, mon garçon. Je voulais seulement te prier de t'asseoir.

Nicolas obéit.

– Vraiment, je suis navré de m'immiscer dans ta vie privée, reprit le vieil homme. Il est très clair qu'elle ne regarde que toi. Cependant, j'ai la certitude que toutes ces histoires ne te font aucun bien. Et puis tu sais que j'ai toujours rêvé d'avoir des petits-enfants... et de vivre suffisamment vieux pour les voir grandir un peu.

– Tu sais très bien pourquoi je ne peux pas me marier.

– Je sais surtout que tu as décidé que c'était impossible.

124

– Ça n'a rien à voir ce que j'ai ou non décidé, père. Ce sont les choses qui ont décidé pour moi. Franchement, comment pourrais-je demander la main d'une femme alors qu'il m'est impossible de lui révéler ma véritable identité?

– Le problème n'est pas là, Nicolas. La situation n'est pas simple, je te l'accorde, mais le problème est que tu as décidé qu'elle était irrémédiable. Or, qui te dit qu'elle l'est? J'estime, contrairement à toi, que certaines démarches, faites en temps opportun, pourraient fort bien transformer l'impossible en possible, et mon rêve de grand-père en réalité!

Le vieil homme soutint longtemps le regard de son fils silencieux.

– Alors? reprit-il ensuite.

– Tu as peut-être raison, admit Nicolas. Je venais de toute façon t'annoncer que je pars demain pour Washington.

– C'est ce que m'a dit ta mère.

– Je verrai là-bas s'il est possible de mettre rapidement un terme à mon statut forcé de célibataire.

Le vieil homme se redressa sur son fauteuil.

– Rapidement? Tu as bien dit rapidement? Dois-je en déduire que tu as d'excellentes raisons de souhaiter ce changement?

– C'est bien possible, père...

– Très bien, très bien, dit le vieil homme en se levant avec un regain d'énergie. Nicolas, quand nous présentes-tu ton «excellente raison?»

Nicolas sentit son cœur se serrer de respect, d'admiration et d'amour. Il réalisa ensuite qu'il n'avait jamais présenté aucune femme à ses parents, tout simplement parce qu'il n'en avait pas supporté une seule plus de quelques semaines.

– Au cas où tout se passerait bien, à Washington, je l'inviterai peut-être au bal du Brasovian Club. Au revoir, père.

Alors qu'il regagnait le salon pour prendre ses affaires, la main gantée de sa mère se posa sur son épaule. Elle rentrait d'une course en ville et avait entendu presque toute la conversation.

– Tu n'aurais pas dû lui donner cet espoir, Nicolas lui reprocha-t-elle en ôtant son chapeau. Tu sais très bien que c'est mauvais pour lui. Le docteur a dit de ...

Nicolas sourit de toute son âme. Ses yeux brillaient d'amour et d'impatience.

– Au diable les docteurs! s'exclama-t-il. Si tu savais comme je suis heureux de l'avoir vu s'animer un peu, après tant d'années! Mais je vais aussi raviver tes espoirs, maman! Et ceux de Sophia! Après tout, la vie est belle. Il est temps de vivre au grand jour, maman! Tu entends? Au grand jour!

Et sans laisser à sa pauvre mère le temps de se réjouir ou de se lamenter, il disparut dans le jardin où embaumaient les roses de tante Sophia. Il les respira comme une bénédiction.

Une fois à bord de la Lancia, il ferma les yeux

126

et vit apparaître deux visages devant lui. Celui de son père, avec ses yeux gris sans âge et dans leurs profondeurs l'éclat d'une jeunesse qui ne demandait qu'à se réveiller, et celui d'une jeune femme aux cheveux noirs qui incarnerait pour lui ce renouveau merveilleux.

Non, il ne pouvait pas échouer! Il n'en avait pas le droit. Il n'avait pas le droit de décevoir les êtres qu'il aimait le plus au monde.

Depuis le début de la semaine, Willa se réveillait chaque matin avec un affreux sentiment de tristesse et de solitude. Ce mercredi-là, elle ouvrit aussi les yeux sur sa propre sottise.

Nicolas lui manquait, il lui manquait terriblement. Dans la journée, elle faisait les choses à moitié, et la nuit, elle ne dormait que d'un œil. Sans cesse elle pensait à lui, se répétant encore et encore tout ce qu'elle avait pu lui dire de stupide, ce qu'il avait répondu. Elle se rapelait le son de sa voix, son corps, ses lèvres, ses grandes mains viriles et pourtant si douces quand il la touchait.

Lorsque ces pensées lui venaient en public, elle devait les refouler au plus profond d'elle-même sous peine de rougir, de sentir sa bouche s'assécher, d'en oublier ce qu'elle était en train de dire ou de faire. Lorsqu'elle était seule, les souvenirs pouvaient remonter à la surface. Elle les laissait envahir et colorer subtilement tout son être. Pour finir, une immense tristesse la prenait dans ses bras noirâtres, la même qui l'étreignait le matin au réveil. Mais Willa haïssait cet affreux sentiment d'être coupée du monde, privée de la vie et du bonheur. Elle refusait de se blottir dans la tristesse, de se laisse gagner par la morosité de l'absence et le manque de caresses. Or, chaque jour qui passait creusait en elle un gouffre déjà noir et profond; le gouffre de toutes les caresses qui lui manquaient, sans lesquelles elle ne pouvait plus vivre ni surtout croire à la vie.

Elle essayait de se consoler en se disant que seule la volupté l'enchaînait à Nicolas mais, au fond de son cœur, elle savait que c'était faux.

Si seulement elle avait pu endiguer le flot des souvenirs! Mais non, il semblait y en avoir pour toujours. On ne pouvait pas les ignorer, ou si peu de temps que cela ne comptait pas dans la balance.

Et Willa revoyait le visage de Nicolas au moment où il avait lâché son cerf-volant dans la ciel de San Simeon, l'or qui brillait au fond de ses yeux noirs. Elle se rappelait ce qu'il avait dit de son enfance, de la guerre, du passé, des souvenirs? Il y avait aussi son sourire, tous les sourires de son âme, la forme de ses lèvres à ce moment-là, cette façon qu'il avait de la surprendre du regard. Et puis son dos brun et musclé, ses cheveux courts sur la nuque solide, le dessin qu'ils faisaient sur sa peau mate, ses sourcils, sa moustache d'ébène, sa bouche qu'elle revoyait, mais, plus que cette bouche, les innombrables baisers qu'elle lui avait volés.

Oui, elle l'aimait. Elle avait beau retourner le

problème dans tous les sens, rien n'y faisait. Elle l'aimait. Elle l'aimait à en mourir. Comment avait-elle pu croire qu'elle pourrait fuir la vérité de l'amour? Comment avait-elle pu lui faire des reproches, lui en vouloir, le juger alors qu'il lui apportait le paradis sur terre, alors qu'elle l'aimait entièrement, totalement, absolument? Le plus absurde, c'était de se reprocher à elle-même ce qui arrivait. Elle n'avait pas cherché à le séduire, ni souhaité qu'il la regardât plus qu'une autre. Tout était arrivé sans qu'ils l'aient voulu, ni l'un, ni l'autre.

Il avait dit qu'il l'aimait et ce qu'elle avait vu dans ses yeux à ce moment-là ne laissait pas de doute sur les sentiments de Nicolas. Oui, il l'aimait aussi...

Alors, Willa se leva d'un bond, se doucha et s'habilla en deux temps trois mouvements. Avant d'aller à ses cours qu'elle désertait depuis le début de la semaine pour traîner au bord du Pacifique, elle décrocha le téléphone et appela le bureau de Nicolas.

Son cœur cessa de battre lorsqu'on décrocha.

– Je suis désolée, répondit une voix de jeune femme, sans doute l'une des assistantes de Nicolas, le Pr Francia n'est pas là, cette semaine. Voulez-vous prendre rendez-vous avec un de ses assistants?

– Non, je vous remercie, s'étrangla Willa. Je... je suis une amie. Est-il possible de le joindre quelque part?

– Non, mademoiselle. Le professeur n'a pas laissé son numéro.

– Je vois. Et savez-vous quand il sera de retour à Los Angeles?

– Malheureusement non, mademoiselle. Le professeur n'a pas précisé la date de son retour. Tout ce que je peux vous dire, c'est qu'il n'assurera pas ses cours pendant au moins une semaine.

Willa demeura silencieuse un instant.

– Voulez-vous laisser un message ou un numéro de téléphone? Nous les lui communiquerons dès que...

– Non, je vous remercie, dit enfin Willa. C'est sans importance.

Et elle raccrocha, la mort dans l'âme, terrorisée à l'idée des heures qui allaient suivre, terrorisée à l'idée des jours, des nuits, des siècles qui la séparaient peut-être de Nicolas.

11

LORSQU'IL rentra de Washington, Nicolas se rendit immédiatement chez ses parents. C'était le milieu de l'après-midi. Tante Sophia soignait son parterre de baccarats. Nicolas la prit par la taille, la souleva de terre puis l'embrassa à pleines joues.

— Il va falloir ressortir ta robe de bal, tantine! plaisanta-t-il en brasovien avant de s'engouffrer dans la maison.

«Je l'adore, ce garçon, songea la vieille dame avant de se repencher sur ses roses, mais il y a des moments où je ne comprends pas son humour. Qu'a-t-il voulu dire avec son histoire de robe? Moi qui étais si vive d'esprit, autrefois!»

D'émotion, elle se piqua et regarda le sang perler comme un souvenir au bout de son doigt. Dans le hall, Nicolas tomba d'abord sur Ramsey.

— A voir la tête de Monsieur, le taquina le domestique, quelque chose me dit que le voyage de Monsieur s'est bien passé.

Nicolas sourit et lui tapa amicalement sur l'épaule.

– Un succès, Ramsey, un succès. Ne me dites pas qu'ils sont sortis ou je vais vous faire la vie impossible, mon vieux, je vous préviens...

– Pensez-vous, Monsieur, ils sont sur le pied de guerre depuis que vous êtes parti. Votre père est dans son bureau, et tout à l'heure, Madame était à...

– C'est toi, Nicolas! s'exclama sa mère dans leur dos.

Le sien était aussi raide, ce jour-là, qu'une colonne dorique dans une salle du British Museum. Son visage digne n'exprimait rien de particulier mais au fond de ses yeux brillaient tous les feux de l'espoir. S'y mêlait la sombre crainte d'une déception.

Nicolas oublia un moment tout un passé d'habitudes et de relations distantes, presque protocolaires. Il prit sa mère entre ses bras et l'étreignit ainsi que le lui dictait son cœur.

– Désormais, nous sommes citoyens américains à part entière, maman! C'est fini. Nous n'aurons plus jamais à nous cacher ni à mentir. C'est fini...

Il sentit sa mère se détendre entre ses bras puis se détacher lentement de lui, comme à regret. Elle reprit aussitôt son apparence sévère que trahissait pourtant l'éclat des larmes dans ses grands yeux fatigués.

– Oh, Nicolas! Merci..., murmura-t-elle à peine, comme si l'émotion s'était tout entière réfugiée dans sa voix. Viens, allons annoncer la nouvelle à ton père. Il va être tellement heureux... Pour

Sophia et moi, ça ne fera guère de différence mais pour ton père... Oh, mon Dieu, il va être bouleversé... Ça représente tant de choses pour lui...

— Et vous n'êtes pas au bout de vos surprises! sourit Nicolas en la prenant par la taille. Pour commencer, il va falloir ressortir les smokings et les robes de bal...

Quand Willa rentra de l'université, ce vendredi-là, sa grand-mère l'attendait sur le pas de la porte, pleine d'inquiétude et de chère impatience.

— On a reçu un paquet pour toi, ma petite fille. Je ne sais pas ce que c'est. Un messager l'a apporté, pas le facteur.

— Un paquet? sourcilla Willa.

Une vague inquiétude la prit. Elle craignit d'avoir commandé quelque chose hors de prix dans un moment de désespoir, en passant devant une boutique, au hasard de ses promenades solitaires sur les quais de Los Angeles.

— On ne t'a pas demandé d'argent, Momika?

— Non. Entre vite, ton paquet est sur la table. Ça vient d'une boutique de l'avenue Madison, sûrement une boutique de luxe. Willa, tu n'as pas fait de bêtises? demanda la grand-mère d'une voix douce.

— Non, Momika.

Interdite, Willa contempla un moment la grande boîte de carton blanc élégamment nouée de satin turquoise aux couleurs de Tyffany's. Son cœur se serra.

– Il n'y avait pas de carte ou d'enveloppe, Momika?

La grand-mère eut un geste qui avouait qu'elle avait passé l'après-midi à se poser des questions.

– Écoute, je suis tellement retournée! Voilà, dit-elle en sortant une enveloppe blanche de la poche de son tablier.

Willa s'en saisit et la soupesa avec lenteur;

– Ouvre, ma chérie! dit la grand-mère avec un geste d'encouragement. Moi aussi je meurs d'impatience.

Willa ouvrit l'enveloppe dont elle tira un carton de papier glacé.

– Alors? demanda la grand-mère. Ne me fais pas languir comme ça, mon chat!

– C'est une invitation, murmura Willa, émerveillée. Une invitation à...

– A quoi, Seigneur?

– A un bal!

N'y tenant plus, la grand-mère saisit le bristol et lut elle-même. Ses yeux s'agrandirent, puis elle s'assit, effarée et heureuse.

– Le bal du Brasovian Club! Seigneur! Ton grand-père et moi y sommes allés une fois, dans le temps. C'est l'événement le plus important de l'année pour les Brasoviens. On ne fait pas plus élégant... Mais qui t'envoie ça, au fait?

Et elle retourna le carton d'invitation, d'un geste machinal.

– Tiens! s'exclama-t-elle. Il y a quelque chose de dessiné, derrière. On dirait un... un cerf-volant!

Willa arracha l'invitation des mains de sa grand-mère et s'en excusa aussitôt d'un regard éperdu. Ses doigts tremblèrent lorsqu'elle découvrit à son tour le cerf-volant dessiné au crayon. Au-dessus, on avait écrit : « Sois prête à huit heures » et au-dessous « Je compte sur toi. » Le dessin était conçu comme une image de bande dessinée, de telle sorte que le cerf-volant semblait parler.

Willa reposa la carte sur la table et, malgré les battements effrénés de son cœur, elle dénoua le nœud de satin turquoise. Lorsqu'elle ôta le couvercle de la grande boîte blanche, elle fut confrontée à plusieurs épaisseurs de papier de soie. Il y eut ensuite un long silence dans la cuisine des Caris.

— Par tous les saints ! s'exclama la grand-mère d'une voix révérencieuse.

Willa ne dit rien mais elle caressa l'extraordinaire soie rubis du bout de ses doigts tremblants. C'était une robe, une somptueuse robe du soir en soie rutilante...

« Rouge rubis ! se dit Willa. La couleur qu'il aime. Ma couleur... »

— Ma chérie, s'inquiéta soudain la grand-mère, de qui vient tout ceci ? De l'homme avec qui tu as passé le week-end ?

— Oui, Momika... Mon Dieu !

— Ce doit être un prince, pour faire de tels cadeaux, murmura la grand-mère dans sa barbe.

Puis, après un nouveau silence :

135

– Alors, ma petite Cendrillon, si on regardait quand il a lieu, ce bal?

Willa reprit le carton d'invitation puis elle se dressa avec une expression d'effroi.

– C'est ce soir, Momika! Ce soir!

Pourvu que Momika voulût bien jouer le rôle de la fée, Willa était prête à jouer celui de Cendrillon. Après tout, le destin ne venait-il pas de la précipiter dans le plus merveilleux des contes? Et puis, Cendrillon n'avait pas non plus eu plus beaucoup de temps pour se faire belle! Or il était plus de sept heures du soir!

Seule, Willa n'y serait jamais arrivée mais Momika accomplit des prodiges. A huit heures moins cinq, sa petite-fille trônait en reine au milieu de leur modeste salon, somptueuse dans sa robe de gala rubis. Dans un silence révérencieux, on attendait le coup de sonnette de huit heures; l'arrivée de Nicolas.

Willa était morte d'angoisse. Au lieu de patienter et de faire le vide, elle ruminait mille idées confuses qui la faisaient douter de vivre un rêve. Comment serait-ce de le revoir, se demandait-elle, d'entendre à nouveau le son de sa voix? Comment allait-elle réagir? Qu'allait-il lui dire? Que devait-elle lui répondre? Allait-elle le trouver aussi beau? Et lui, serait-il déçu? D'ailleurs, pourquoi l'avait-il invitée à ce bal?

Momika, qui comprit que la tête de sa petite-fille n'était pas loin de ressembler à une Cocotte-minute, vint près d'elle et lui prit doucement la main.

– Tu n'auras qu'à être toi-même, mon petit, et tout se passera bien. Si tu viens vraiment à penser à quelque chose, pense à ta bonne étoile. Dis-toi qu'elle s'occupe de tout pour toi.

Momika ne se trompait pas car la sonnette retentit au même instant. Willa eut un moment d'affreuse panique. Momika lui fit signe de se calmer en se posant les doigts sur les lèvres, puis elle réajusta son fichu, s'éclaircit la gorge, prit une expressiopn digne mais naturelle et se dirigea vers la porte d'entrée.

Un géant lui sourit. Ses yeux amicaux inspiraient confiance. Il portait un smoking noir et un chapeau haut de forme qu'il ôta en guise de salut.

– Mademoiselle Caris? s'enquit-il.

Flattée mais surtout amusée, Momika fit signe qu'il y avait erreur sur la personne. Willa s'avança alors d'une démarche fantomatique.

– N-Nicolas...

– ... m'a demandé de vous remettre ceci, mademoiselle.

Willa sentit sa gorge se nouer. Elle ouvrit en tremblant l'enveloppe blanche que lui tendait l'inconnu. A l'intérieur, il y avait un simple bristol qui indiquait : « Il s'appelle Ramsey, *mais pour ce soir, dis-toi seulement qu'il est le vent.* »

Et pour toute signature, un petit cerf-volant dessiné à la plume.

Willa dévisagea l'inconnu avec une joie

étrange. En elle surgit l'image d'un cerf-volant prenant son envol vers l'azur éblouissant du ciel.

– Je suis prête, murmura-t-elle d'une voix angélique.

Elle embrassa Momika de tout son cœur puis sourit au géant qui lui tendait le bras.

Ramsey l'escorta jusqu'à une grande limousine noire.

– C'est la chose qui se change en citrouille au douzième coup de minuit? demanda-t-elle alors qu'il lui ouvrait la portière.

Un énorme éclat de rire monta vers le ciel constellé d'étoiles.

Willa sentit son estomac se nouer lorsque la limousine stoppa devant le plus élégant et le plus luxueux hôtel de Los Angeles. Comprenant son trouble, Ramsey la soutint de son amical sourire.

– Tout se passera bien, mademoiselle, soyez-en sûre. Monsieur Nicolas vous attend à l'intérieur. J'ajouterai, si je puis me permettre, que mademoiselle ressemble à une vraie duchesse...

Ramsey était tombé dans le mille. Willa sourit et se souvint de l'élégance naturelle de la Duchesse, de sa prestance d'angora, de son indifférence calculée et de sa grâce. Cette image lui redonna courage, suffisamment du moins pour gravir l'esclier monumental de l'hôtel au bras de Ramsey. Un tapis vert magnifiait l'escalier dont les rampes avaient été couvertes de roses jaunes et blanches. Willa sentit sa gorge se serrer une fois de plus. C'étaient les trois couleurs du pavillon royal de Brasovie.

Des invités en tenue de soirée allaient et venaient dans le hall de l'hôtel où paradaient des élèves de polytechnique en grand uniforme à panache orangé. Willa se cramponna au bras de Ramsey. Lorsqu'ils entrèrent enfin dans l'immense salle de bal, Willa se demanda comment Cendrillon avait pu avoir le cran de s'aventurer seule au bal du Prince Charmant!

Un orchestre jouait en sourdine. Personne ne dansait encore. Les grands drapeaux dorés de Brasovie alternaient sur les murs avec des gerbes de fleurs somptueuses. Une foule de deux à trois cents personnes se pressait sur un tapis de soie coquelicot. Au fond de la salle trônait une estrade d'honneur aux armes royales de Haute et Basse-Brasovie.

Pour accéder à la salle de bal, il fallait descendre un grand escalier de marbre blanc. Willa toisa l'élégante assemblée d'un œil affolé. Jamais elle ne pourrait descendre ce maudit escalier! Et si elle trébuchait? Oubliant la présence réconfortante de Ramsey, Willa vacilla sous une poussée d'angoisse. Alors, au pied de l'escalier qui la terrorisait, elle vit Nicolas s'avancer.

Ramsey l'entraîna. Willa eut l'impression qu'au lieu de descendre une marche, elle allait disparaître dans un gouffre sans fond. L'image de la Duchesse la sauva au bon moment. Rejetant les épaules en arrière et aspirant une bouffée d'air,

Willa saisit délicatement sa robe sur le côté et s'avança, la tête haute, vers l'homme qu'elle aimait. Un mystérieux élan la fit stopper au beau milieu de l'escalier. Elle voulait que Nicolas vînt lui aussi vers elle. Comprenant ce qui se passait, Ramsey se retira après lui avoir baisé la main. Nicolas monta lentement vers elle et Willa sut tout de suite qu'elle revivrait longtemps ce moment exceptionnel. Il était si beau qu'elle en oublia le monde entier, ne voyant plus que lui dans un ralenti merveilleux. Sa démarche avait quelque chose de surnaturel, comme s'il était lui aussi plongé dans une sorte de rêve.

Nicolas s'arrêta, deux marches au-dessous d'elle. Ses yeux noirs brillaient comme de l'or, comme ceux d'un faucon dans la nuit. Il prit la main de Willa puis l'effleura de ses lèvres.

— Tu es ravissante, dit-il seulement d'une voix émue.

— La robe y est pour beaucoup, sourit Willa en inclinant légèrement la tête, comme pour le remercier du cadeau.

— Elle ne te rend pas justice.

Et il lui tendit le bras. Willa le prit. Alors qu'ils descendaient ensemble le grand escalier, l'orchestre se mit à jouer l'hymne national brasovien. Le silence se fit d'un coup. La foule se tourna vers eux.

Les invités d'honneur étaient arrivés. En haut de l'escalier, se tenait un homme grand et mince aux cheveux gris. Son visage inspirait une sorte de crainte révérentielle. Son regard d'aigle balaya l'assemblée immobile. Il portait un simple smoking noir mais sur sa chemise immaculée éclatait une ceinture aux couleurs de Haute et de Basse-Brasovie. Plusieurs médailles et décorations étincelaient sur sa poitrine, au niveau du cœur.

Deux femmes l'escortaient. L'une, à sa droite, portait une robe violette qui contrastait somptueusement avec ses cheveux roux. Un collier de diamants rehaussait le capiteux éclat des couleurs. Son visage reflétait au contraire une joie paisible. Elle souriait.

A la gauche de l'homme se tenait une grande femme aux cheveux blanc de neige. Elle portait une robe ivoire d'une austère élégance, à peine rehaussée par un discret collier d'or et de topaze.

Les derniers accords de l'hymne national se firent entendre. Les trois personnages commencèrent leur descente vers la foule. La femme en violet soutenait l'homme d'une main discrète. Une profonde émotion s'empara peu à peu de la foule qui libéra le chemin qui menait à la tribune. Des hommes âgés pleuraient en silence. Les femmes avaient plus de mal à retenir leurs sanglots. Les jeunes gens se taisaient, gagnés par la noblesse qui émanait des trois invités d'honneur.

Une femme en robe gris perle, bouleversée et nerveuse, les accueillit au pied de la tribune. Deux jeunes filles en costume national brasovien offrirent des roses aux deux femmes puis s'agenouillèrent devant l'homme avant de disparaître.

– Mesdames, mesdemoiselles, messieurs, commença la femme en gris perle d'une voix vibrante d'émotion, j'ai l'immense privilège de vous présenter les invités d'honneur de ce quarantième bal du Brasovian Club. J'ai nommé Leurs Altesses Royales Alexi et Magrite Ravenai, roi et reine de Brasovie, et la Grande-Duchesse Sophia...

Alexi leva la main pour calmer les applaudissements et les acclamations qui venaient de jaillir spontanément. Le silence retomba aussitôt. On libéra les dames de leurs bouquets de roses. Le roi inclina légèrement la tête en direction de l'orchestre qui se mit à jouer. La foule se serra pour libérer un espace pour la danse.

Le roi se courba légèrement devant son épouse et lui offrit son bras. La reine lui dédia un regard plein de noblesse, de dignité et de souvenirs. Ensemble, ils s'avancèrent vers le centre de la vaste salle et ouvrirent le bal d'un pas lent et majestueux.

Nicolas quitta alors Willa sans crier gare. D'une démarche princière, il rejoignit la Grande-Duchesse Sophia qui se laissa de bonne grâce entraîner dans la danse, une valse noble et sentimentale qu'elle n'avait pas entendue depuis plus de quarante ans.

Peu à peu, la piste se remplit tandis que les conversations reprenaient. Abandonnée à ses émotions, Willa observait, médusée, le spectacle irréel qui s'offrait à ses yeux. Des larmes coulaient sur ses joues. Le bal devenait pour elle un kaléidoscope où les couleurs des robes jouaient à plaisir avec les taches noires des nœuds papillon. Éperdue, elle n'arrivait pas à croire qu'elle vivait un rêve. Or Nicolas faisait partie de ce rêve et il s'avançait maintenant vers elle.

Il sortit de sa poche un mouchoir de soie et sécha les larmes de la femme qu'il aimait. Ses yeux brillaient toujours comme de l'or.

– Viens, dit-il d'une voix douce. Il y a ici des gens que j'aimerais te présenter...

12

LES mots qui suivirent ne firent que confirmer ce que Willa savait déjà:

– Mon père..., ma mère..., ma tante Sophia.

Willa mit ensuite son cerveau en pilotage automatique, se contentant de l'essentiel: serrer les mains qu'on lui tendait, incliner respectueusement la tête, murmurer une réponse appropriée...

– Ah, oui, Wilhelmina, dit Alexi Ravenai. Un prénom de reine qui vous va fort bien.

Son anglais était délicieusement accentué.

– Eh bien, ma chère, reprit le monarque, me feriez-vous l'honneur de m'accorder une danse?

Trop impressionnée pour parler, Willa leva les yeux et s'absorba dans le visage du dernier roi de Brasovie. Ce visage parlait du passé. Il inspirait des sentiments élevés. La maladie l'avait cependant marqué. On y lisait aussi une profonde fatigue. Ne sachant que faire, Willa se tourna vers Nicolas qui, d'un sourire, lui fit comprendre qu'elle pouvait accepter la proposition du roi.

Après cette courte formalité, si touchante au

fond, Alexi offrit son bras à Willa. Alors, le temps d'une valse, le rêve s'accentua encore. A peine Willa entendit-elle la musique, à peine sentit-elle le sol glisser sous ses pieds. Elle ne voyait qu'un visage et, tout autour d'eux, flotter le rouge rubis de la robe choisie par Nicolas. De son côté, Alexi savait que c'était peut-être sa dernière valse. Le protocole lui interdisait d'exprimer trop clairement sa joie. Au fond de lui-même, il était heureux pour son fils et pour la merveilleuse jeune femme qu'il tenait entre ses bras comme un père.

– Croyez bien que je regrette de devoir déjà vous quitter, ma chère, dit enfin Alexi, mais je n'ai plus l'âge de rester au bal jusqu'à l'aube. Il est grand temps pour moi de laisser place à la jeunesse.

Et il regarda Nicolas qui s'inclina légèrement comme s'il acceptait de relever le défi. Puis le monarque se pencha vers Willa et l'embrassa sur les joues en murmurant :

– Ma chère, vous n'imaginez pas combien je suis heureux de vous savoir en ce monde.

Puis, prenant la main de la jeune femme comme s'il s'agissait d'un inestimable trésor, Alexi la déposa sur le bras tendu de Nicolas.

– Il y avait au moins de quoi remuer ciel et terre, dit-il enfin à l'intention de son fils.

Willa, cette fois, faillit vraiment perdre connaissance. Elle avait compris que les paroles du roi équivalaient à une bénédiction.

La voix de Nicolas la ramena in extremis au présent.

– Ça ne va pas, Willa? demanda-t-il.

Willa leva les yeux vers lui et vit le visage de l'homme qu'elle aimait comme terni par un voile mystérieux.

– Si, si, s'entendit-elle murmurer.

– Alors dansons! s'exclama-t-il gaiement en l'entraînant par la taille.

Après le départ du roi et de la reine, l'orchestre avait abandonné les valses pour des morceaux de Duke Ellington et de Glenn Miller. Lorsque Nicolas entraîna Willa sur la piste de danse, l'orchestre jouait un slow rythmé et langoureux.

Willa ferma les yeux pour mieux s'abandonner à l'étreinte de Nicolas, s'immerger dans sa chaleur, cherchant à suivre le rythme de son cœur plutôt que celui de la musique, respirant son eau de toilette comme un philtre mystérieux, éprouvant sous ses doigts la solidité rassurante de ses larges épaules. Oui, c'était bien Nicolas, *son* Nicolas, l'homme qu'elle aimait. Tout le reste n'était qu'un rêve.

Un rêve?

Alors Willa ouvrit les yeux. Alors en elle explosa une formidable colère, violente comme un ouragan, aussi implacable, aussi incontrôlable qu'un tremblement de terre ou que le réveil d'un volcan. Trahie! Il l'avait trahie! Mortellement blessée dans son honneur, et de mille autres façons plus subtiles, Willa eut envie de hurler sa colère, d'exprimer son désarroi, envie de frapper à coups de poing cette poitrine où elle avait failli s'évanouir de plaisir, quelques secondes plus tôt; envie de crier : « Comment as-tu pu me faire une chose pareille? Comment as-tu pu me mentir à ce point? Pourquoi m'as-tu traitée comme une gamine? Pourquoi m'as-tu empêchée de faire mon devoir et de voler la couronne, la couronne de ton père? Pourquoi? Pourquoi? Pourquoi? Je ne pourrai jamais te pardonner. Je ne pourrai plus jamais te faire confiance! Jamais! »

Elle aurait voulu pleurer. Et, comprenant qu'elle allait réellement éclater en sanglots, que ce serait une épouvantable crise de larmes qui ferait, le lendemain, la une des journaux de Los Angeles, Willa repoussa violemment Nicolas et s'enfuit, désespérée comme avait dû l'être Cendrillon au douzième coup de minuit. Telle une reine trahie après quelques heures de règne éphémère, elle se dit que ce qu'elle éprouvait était horrible. La réalité avait repris ses droits. Le rêve n'avait été qu'un rêve dont elle se réveillait pour disparaître dans le plus effroyable des cauchemars : le cauchemar de la fin du monde.

Nicolas l'appela, aussi fort que le permettaient les circonstances, puis il s'élança derrière elle. Il aurait dû s'en douter! se morigénait-il. Elle était si pâle et tellement silencieuse...

Une sombre panique lui étreignit le cœur. Tant bien que mal, il se fraya un chemin parmi la foule des danseurs où Willa s'était glissée plus facilement que lui. Mais elle avait disparu lorsqu'il parvint au pied du grand escalier où il l'avait accueillie, une heure plus tôt.

Quelle insensée! se dit-il. Où pouvait-elle aller, seule, sans argent, en robe du soir et souliers de satin dans la nuit froide et pluvieuse de février? Où pouvait-elle aller, sans manteau, si loin de chez elle?

Il la chercha partout, même dans le parc de l'hôtel. Il interrogea tous ceux qu'il rencontrait, demandant si l'on n'avait pas vu une jeune femme en rouge avec des cheveux noirs, mais toutes les réponses furent négatives, y compris celles du personnel.

Nicolas revint sur ses pas.

Quelle insensée! se répétait-il. Quel caractère impossible! Pourquoi prenait-elle toujours les choses d'aussi haut? Pourquoi les prenait-elle toujours tellement à cœur?

Tellement à cœur?

N'était-ce pas justement pour cela qu'il l'aimait? Pour ce qu'elle avait d'entier et de passionnel? Pour son enthousiasme, sa ferveur, cette capacité si rare de s'enflammer pour une cause, même perdue, et de se vouer à elle corps et âme?

Corps et âme?

Oui, n'était-ce pas pour cela qu'il l'aimait, justement? Pour son corps éblouissant et pour sa grandeur d'âme?

Une fureur le prit – contre elle, bien sûr – mais surtout contre lui-même. Il aurait dû prévoir ce

148

qui venait de se passer, lui qui se jugeait si raisonnable, si intelligent, si prévoyant! Comment avait-il pu croire qu'elle se fondrait comme par magie à l'irréalité de cette soirée de gala où tout était fait pour la blesser sans retour?

Oui, il fallait qu'il la retrouve! Et pas dans une heure, tout de suite, à l'instant même! Il brûlait de tout ce qu'il avait à lui dire, de tout ce qu'il avait si longtemps gardé pour lui seul : le secret de sa vie! Car toute la vie il avait cherché une femme digne de partager ce secret. Cette femme, il l'avait enfin trouvée : c'était Willa et elle venait de lui échapper. Elle venait de le fuir comme s'il s'agissait de son pire ennemi.

Fou de rage, ne sachant que faire, bien plus désemparé que le soir de l'enlèvement, Nicolas reprit la direction de la salle de bal. Et là, aveuglé par la colère et le désarroi, il heurta Willa de plein de fouet. Elle sortait des toilettes.

— Ooops! s'exclama-t-elle lorsqu'il la rattrapa pour l'empêcher de tomber.

— Willa!

— Lâche-moi...

— Qu'est-ce que tu faisais là-dedans? demanda Nicolas.

Ils se toisèrent un moment, comme pour reprendre haleine. D'un geste presque capricieux, Willa fit voler ses cheveux bruns qui frôlèrent la jolie courbe de sa nuque. Avec un dédain calculé, elle dit ensuite :

— Je te demande *pardon*?

Nicolas jeta un coup d'œil alentour pour s'assurer que leur querelle resterait strictement privée. Puis il entraîna sa prisonnière à l'écart.

— Lâche-moi, espèce de brute! s'entêta Willa. Mais lâche-moi...

— Pourquoi es-tu partie comme ça, sans rien dire, sans rien me dire?

— Parce que je n'avais plus rien à te dire.

Mais enfin, Willa, j'ai cru que tu étais partie...

— C'était bien mon intention.

— Ne me parle pas sur ce ton, s'il te plaît, lui intima-t-il avec le plus grand sérieux.

— C'était bien mon intention, professeur, réitéra-t-elle d'une voix calme et moqueuse. Sauf que je ne retrouve pas Ramsey et que je ne sais pas où est garée la limousine. J'ai voulu appeler un taxi mais je n'ai ni sac à main, ni argent. C'est vrai que je me suis un peu affolée mais j'ai bien la tête sur les épaules, maintenant. Tout ce que je te demande, c'est de me prêter vingt-cinq cents. Je sais bien que tu n'as jamais pu me faire confiance mais il faut un début à tout...

Nicolas la relâcha puis il se passa la main dans les cheveux.

— Ramsey a ramené mes parents chez eux, dit-il. Il est absolument hors de question que tu prennes un taxi dans cette tenue. Je vais te ramener.

— C'est aussi hors de question, s'insurgea Willa. Chaque fois que je monte dans cette voiture, ça se termine...

150

– ... dans mes bras? conclut Nicolas d'une voix dangereusement calme.

Willa pâlit, émit un son courroucé et détourna les yeux. Nicolas la saisit au poignet, l'obligeant à regarder les choses en face.

– Willa, je t'en prie. Je voudrais..., j'aimerais... Il faut que je te parle. Écoute-moi, je ne t'en demande pas plus. Tu me dois bien ça, non?

Elle le toisa avec mépris.

– J'estime ne rien devoir à un homme qui ment comme il respire. Tu avais juré, Nicolas. Juré. Sur ton honneur...

– Je ne t'ai pas menti.

Willa répondit par un rire dérisoire. Nicolas souffrait le martyre. Sa gorge brûlait comme sous le coup d'une profonde blessure.

– Willa, je ne suis pas et je n'ai jamais été un prince. Mon père a cessé de régner plusieurs années avant ma naissance.

Un regard accusateur, noir comme la nuit noire lui transperça le cœur.

– Je n'ai fait que te cacher la vérité, reprit-il.

Willa hocha durement la tête, comme pour lui dire qu'elle était bien d'accord sur ce point. Nicolas crut avoir envie de l'étrangler mais il ne projetait que de l'embrasser furieusement, jusqu'à vaincre toute résistance en elle. Il lui fallut fournir un terrible effort pour se maîtriser. Et aussitôt, il se demanda comment Willa, si petite, si délicate, avait pu le mettre dans une telle colère.

– La vérité n'est pas toujours bonne à dire, jetat-il d'une voix terriblement grave. Je te ramène. Tu vas m'écouter, que tu le veuilles ou non...

– C'est ce qui te trompe.

– Ne me pousse pas à bout.

– Tu comptes peut-être m'enlever une seconde fois?

– S'il le faut.

– Je serai très loin d'être aussi coopérative, cette fois-ci. Je te mordrai jusqu'à ce que tu me lâches, tu ne me connais pas...

– Si, justement. Je connais un excellent moyen de te faire taire. Ça a toujours très bien fonctionné, jusqu'ici, je ne vois pas pourquoi ce serait différent aujourd'hui. Et ne prends pas cet air innocent, tu sais très bien de quoi je veux parler. D'ailleurs, c'est un truc qui marche depuis que le monde est monde. Nous avons un certain entraînement, maintenant...

Willa émit un petit cri d'impuissance typiquement féminin, puis elle ferma les yeux. Nicolas la prit par l'épaule et lui effleura la nuque d'une caresse. Ce léger contact lui permit de sentir les hoquets douloureux que retenait Willa. Elle souffrait autant que lui.

– Pourquoi m'as-tu fait ça? dit-elle d'une voix plus sincère, d'une voix qui ne lui cherchait plus querelle. Ça fait mal...

– Je sais.

Et il savait exactement ce qu'elle éprouvait car il le ressentait lui-même.

– Excuse-moi, j'aurais dû me douter que tu

prendrais les choses ainsi, dit-il d'une voix humble.

– Y avait-il une autre façon de les prendre?

– Sans doute, mais le problème n'est pas là. Je ne te demande pas d'être différente. Je te demande seulement de m'écouter. Avant, je ne pouvais pas te dire la vérité. Maintenant, je peux?

La réponse fut longue à venir. Nicolas eut tout le temps de voir de petits diamants scintiller sur les longs cils de Willa. Comme elle était belle! Comme sa peau était blanche, ses cheveux noirs, et cette robe si rouge qu'elle exaltait sa beauté!

– Oui, tu peux, dit-elle enfin.

La tension disparut des traits de Willa, roula dans sa gorge, quitta son corps, l'abandonnant mystérieusement. Alors, les larmes si longtemps retenues coulèrent librement sur ses joues pâles.

Nicolas se détendit à son tour, comprenant du même coup combien il avait eu peur.

– Tu crois qu'il va pleuvoir? demanda Willa lorsque Nicolas mit les essuie-glace en marche.

– Il ne va pas pleuvoir, répondit-il sèchement. Il pleut déjà. C'est l'histoire de nos vies...

Willa le regarda. Les lumières du tableau de bord jetaient des ombres colorées sur son visage. La pluie se mit brutalement à tomber. Sur le pare-brise, ses reflets ondulés avaient quelque chose d'irréel. La Lancia filait le long du Pacifique, non loin de la maison de Nicolas. Ils ne s'étaient pas dit un mot depuis le centre ville.

Willa en éprouvait une profonde tristesse, se demandant si les choses seraient jamais simples entre eux. De son côté, Nicolas ne trouvait rien à dire pour se faire pardonner, sans doute parce qu'au fond de lui-même, il ne se sentait pas coupable.

La Duchesse les accueillit comme s'ils lui avaient manqué. Elle se blottit amoureusement contre Willa pendant que Nicolas allumait du feu dans la cheminée. Il disparut ensuite dans la cuisine et revint avec deux verres de cognac servis sans cérémonie. Après en avoir tendu un à Willa, il s'adossa à la cheminée et, d'un geste las, défit son nœud papillon. Après un profond soupir, il entra directement dans le vif du sujet :

– Mes parents, tante Sophia et moi sommes tout ce qui reste des Ravenai. Nos oncles, tantes, cousins, cousines, et j'en passe, sont morts pendant la dernière guerre ou très peu de temps après. A commencer par le mari de Sophia, Charles, et mon frère aîné, Alexi. On l'appelait Sandi. Il est mort d'une pneumonie dans un camp de réfugiés. Il avait à peine deux ans, je crois...

Willa l'écoutait avec attention mais elle n'eut pas un geste d'encouragement lorsqu'il posa les yeux sur elle, se contentant de siroter son cognac comme si de rien n'était. Nicolas s'avança jusqu'à la baie vitrée. L'obscurité phosphorescente de la nuit le réconforta mystérieusement. Le regard perdu au loin, il se remit à parler :

– Vers la fin de guerre, au moment où les

Russes s'approchaient dangereusement de chez nous et où les Américains arrivaient par l'ouest, mon père décida de rassembler les siens et de quitter la Brasovie. Heureusement, car ce fut un massacre lorsque les deux armées se rencontrèrent. Une semaine plus tôt, les Ravenai avaient pris le premier train qui partait vers l'Ouest, tous déguisés en paysans et méconnaissables. Pour tout bagage, ils n'emportaient avec eux qu'une vieille malle d'un modèle très courant à l'époque, et qui n'aurait en principe dû retenir l'attention de personne. Lorsqu'ils atteignirent les lignes américaines, la malle fut confisquée. Cette malle contenait le trésor royal de Brasovie et d'inestimables bijoux enveloppés à la va-vite dans du petit linge.

— La couronne y était aussi? demanda Willa.

— Oui, mais mon père se souciait bien peu des bijoux. Il ne songeait qu'à nous protéger. Sans l'ombre d'un doute, il sut que les pires dangers nous attendaient s'il réclamait la malle. Il pensait d'ailleurs que Dieu saurait mieux que lui la conduire où il fallait. Même après notre arrivée en France, il ne révéla jamais notre véritable identité. La malle était de toute façon perdue. Hélas, et malgré d'infinies précautions, les Ravenai furent presque tous découverts et internés dans les camps. Je te l'ai déjà dit. C'est la pure vérité...

Il eut un bref silence. Nicolas se resservit une larme de cognac.

— Dans les années cinquante, lorsque tout fut

rentré dans l'ordre, mon père se rendit à l'ambassade des États-Unis à Paris, pour savoir ce qu'était devenue la couronne. Il apprit alors que le trésor intact dormait tranquillement dans un coffre-fort à Washignton. Mais lorsqu'il demanda l'asile politique, on lui répondit très courtoisement qu'il y avait un petit problème.

Nicolas eut un méchant sourire.

– A l'époque, les relations des États-Unis avec les pays de l'Est étaient plutôt tendues! Au niveau international, offrir l'asile politique au dernier roi de Brasovie et à sa famille eût été considéré comme une grave provocation. Les États-Unis refusèrent de mettre en péril leurs fragiles relations diplomatiques avec le bloc de l'Est. Il fallut dix ans de négociations assidues pour arriver à un compromis. Les Ravenai furent autorisés à s'installer aux États-Unis à condition que personne – absolument personne – n'apprenne jamais qui ils étaient. Si le secret se trouvait rompu d'une façon ou d'une autre, Washington prévoyait l'extradition pure et simple, sans aucun recours d'aucune sorte.

Nicolas finit son cognac. Willa se racla la gorge.

– Je ne comprends pas, Nicolas, tu m'avais dit que tu étais citoyen américain, le jour de notre rencontre.

– Oui, coupa-t-il. La nationalité américaine m'a été accordée sous certaines conditions, parce que j'étais né en France et comme gage de bonne volonté de la part du gouvernement. En revanche, mes parents continuaient à vivre ici comme des étrangers, sans identité, sans statut légal, sans aucun droit... sinon celui de se taire. Le département d'État fit certaines concessions, avec les années. Comme mes parents n'avaient même pas la possibilité de trouver un modeste emploi, le gouvernement accepta de leur verser une rente à condition qu'ils abandonnent tous leurs droits sur la couronne et les bijoux. Plus tard, il fut décidé de les protéger...

– C'est-à-dire?

– Ramsey est un ancien agent secret des services de renseignements. Il est entièrement dévoué à ma famille et s'occupe de tous les points délicats depuis des années.

Willa commença à se rendre compte de son extraordinaire naïveté. Lorsqu'il s'agissait de politique, les choses étaient toujours beaucoup plus complexes et plus souterraines qu'on se l'imaginait au premier abord.

– Tu vois, sourit Nicolas, il m'était absolument impossible de te parler de tout ça.

Willa acquiesça d'un air malheureux.

– Ce que je ne comprends toujours pas, c'est pourquoi tu m'en parles maintenant, dit-elle quand même.

– Les temps ont changé, reprit-il en s'affalant dans un fauteuil. Les relations des États-Unis avec la Brasovie se sont améliorées, ces dernières années. La restitution de la couronne devait proclamer ce rapprochement aux yeux du monde entier.

157

La voix de Nicolas se brisa. Son regard se durcit un moment.

– Il fallait que la couronne retourne là-bas, Willa. La liberté de ma famille était en jeu. Ces derniers mois, j'ai fait l'impossible pour que mes parents deviennent citoyens américains à part entière. Mon père n'en a plus que pour quelques mois, tout au plus. Je ne pouvais pas te laisser détruire tout ça. Je ne pouvais pas prendre un tel risque. Si jamais vous aviez réussi à voler la couronne, la Brasovie aurait accusé le gouvernement d'avoir organisé un faux hold-up... D'un autre côté, il faut que tu saches que c'est un peu à cause de toi que tout s'est finalement réglé, cette semaine. Je suis allé à Washington...

– Je sais, murmura Willa d'une toute petite voix.

– La perspective de me voir épouser une Américaine est venue à bout des dernières résistances, avoua-t-il enfin, bouleversé. Willa, si tu savais comme...

Willa ne le laissa pas terminer. Elle se rua dans ses bras, blottit son visage contre son cœur...

– Nicolas, Nicolas!

...puis elle l'embrassa passionnément.

Nicolas répondit à ce baiser comme s'il tenait pour la première fois une femme entre ses bras. Et c'était bien la première fois qu'il pouvait être tout à fait lui-même avec une femme : le passé vaincu venait de livrer son ultime secret, le secret du bonheur.

A force de rire de leurs aventures, à force de cognac et de baisers, ils s'étaient finalement endormis devant la cheminée, à même le tapis moelleux, un peu après quatre heures. Au petit jour, la Duchesse était venue se lover entre leurs deux corps fatigués et heureux.

Son doux ron-ron réveilla Willa.

C'était le matin. Des oiseaux chantaient sur la mer.

Lorsqu'elle ouvrit les yeux sur Nicolas endormi, Willa sut ce que voulait dire aimer. Elle eut l'impression de plonger dans un bain d'amour en comparaison duquel le Pacifique n'était qu'une misérable goutte d'eau.

Nicolas! Mmm! Nicolas!

Willa s'étira paresseusement. Un pâle sourire éclairait son visage. Jamais elle ne s'était sentie aussi bien, jamais elle n'avait même rêvé qu'un tel bien-être fût possible. Elle n'osait pas encore l'appeler bonheur. Pourtant, si elle avait pu ron-ronner, elle aurait battu la Duchesse à plates coutures.

Willa s'allongea sur le dos. Par la baie vitrée du salon, elle apercevait un carré de ciel clair, plutôt gris, qui lui parut magnifique. Un moment après, un extraordinaire oiseau multicolore vint s'ébattre dans le morceau de ciel avant de disparaître, comme une illusion.

– Nicolas! Nicolas! Réveille-toi! J'ai vu... J'ai vu un... un...

159

Nicolas ouvrit un œil malicieux. Il savait très bien ce que Willa avait vu.

– Un cerf-volant? suggéra-t-il.

– Nicolas! C'est celui de Kenny...

– Et il est là-haut depuis qu'on est rentré de ce drôle de week-end à San Simeon... On pourrait peut-être l'inviter à prendre le petit déjeuner avec nous, tu ne crois pas? A mon avis, il doit en avoir par-dessus la tête de jouer les anges gardiens.

– Nicolas! murmura Willa. Tu as fait ça...?

Et elle lui dédia un regard de pure adoration.

– ... Je me demande comment j'ai pu douter que tu sois prince.

– Mais je n'en suis pas un...

– Oh que si! taquina Willa avant de se jeter dans ses bras. Tu es mon Prince Charmant, Nicolas.

Et Nicolas l'étreignit, l'embrassa, la berçant de caresses et de mots murmurés.

Dérangée dans son royal sommeil, la Duchesse leur jeta un regard outré, puis elle s'éloigna de sa démarche de reine avec tout le panache que lui conférait son rang. Car son rang lui interdisait de se mêler aux plaisirs de ce monde.

LA COMPOSITION, L'IMPRESSION ET LE BROCHAGE DE CE LIVRE
ONT ÉTÉ EFFECTUÉS PAR LA SOCIÉTÉ NOUVELLE FIRMIN-DIDOT
MESNIL-SUR-L'ESTRÉE
POUR LE COMPTE DES PRESSES DE LA CITÉ
LE 4 JANVIER 1989

Imprimé en France
Dépôt légal : mars 1989
N° d'impression : 10692

COLLECTION BRITISH

L'HEURE DU CRIME

2 titres
tous les 2 mois

PRESSES DE LA CITÉ